MIEUX JOUER AU GOLF

Concentration, stratégie, technique

SOMMAIRE

PRÉFACE

Depuis que le golf existe, il dispose d'une abondante bibliographie. L'historique du jeu, les bases scientifiques de l'activité, les différentes conceptions techniques, les bibliographies des champions, les relations des grands tournois, les études sur le matériel et les balles suscitent depuis très longtemps un nombre considérable d'ouvrages qui lui sont consacrés. Dans ce contexte *MIEUX JOUER AU GOLF* pourrait apparaître comme un livre de plus venant s'ajouter à une liste déjà longue. Mais il ne s'agit pas de cela. Les idées exprimées par John M. ANDERSON méritent la meilleure attention de tout lecteur pratiquant le golf avec le ferme espoir d'être plus performant.

La nécessité d'une parfaite condition physique et d'une rigoureuse maîtrise technique du geste et de tous les compartiments du jeu est ressentie par tous. Mais ces éléments indispensables ne sont pas suffisants. En permettant une meilleure connaissance du fonctionnement du cerveau, les recherches faites dans le domaine de la PERFORMANCE SPORTIVE confirment le rôle considérable du MENTAL, tant dans l'échec que dans la victoire. Chaque golfeur a connu cette dure expérience — surtout en compétition — d'une incapacité soudaine à réaliser un coup simple qu'il réussit habituellement. Pourquoi ? Que s'est-il passé pour que, subitement, le cerveau et les muscles soient perturbés ? Comment y remédier ? C'est la démarche que nous propose *MIEUX JOUER AU GOLF* pour chaque moment de notre pratique golfique qu'il s'agisse de l'entraînement, de l'exécution d'un coup ou de la compétition.

L'entraînement consiste souvent à frapper des balles dans le but de s'échauffer puis de répéter la bonne exécution du geste pour le consolider. En réalité, il doit être plus que cela pour être efficace. Intelligemment conçu, il doit devenir pour le joueur une sorte de « gymnastique mentale » qui va lui permettre d'utiliser l'intégralité de ses capacités. Comprendre le coup qu'il cherche à réaliser, savoir le visualiser, se préparer mentalement à sa réussite sont autant d'actes précis qui vont faciliter l'exécution. Ainsi conduit, l'entraînement contribue à un renforcement, non seulement de la technique mais aussi de l'attitude mentale dont il faudra faire usage pour réaliser le meilleur score possible.

Sur le parcours, l'élaboration d'une stratégie de jeu adaptée à la forme du moment et aux difficultés de chaque trou, l'aptitude à rester lucide, concentré et maître de ses émotions malgré l'importance de l'enjeu sont des qualités démontrées par tous les champions et constituent des exemples supplémentaires des facultés mentales qu'il faut acquérir et améliorer.

Voilà quelques aspects énoncés par John M. Anderson qui peuvent permettre au lecteur de mesurer les progrès envisageables dans la conduite bien réfléchie et bien organisée du temps qu'il consacre à son sport favori. Le golf prend ainsi toute cette dimension sportive qui le rend difficile, quelquefois ingrat mais toujours exaltant. Je suis persuadé qu'en l'aidant à mieux connaître le rôle du mental et les mécanismes de l'apprentissage, *MIEUX JOUER AU GOLF* sera utile à tout golfeur qui ambitionne de devenir meilleur en mettant à contribution toutes ses qualités de volonté et d'intelligence.

Jean-Étienne Lafitte
Entraîneur National de la Fédération Française de Golf

CHAPITRE 1

LA DÉMARCHE PSYCHOLOGIQUE

Pourquoi les joueurs sont-ils si réticents quand il s'agit d'évoquer l'aspect mental de leur jeu ? Les golfeurs parlent très facilement de l'aspect physique de leur sport, de la manière dont ils travaillent leur swing, de leur tendance à jouer en slice ou en hook, des conseils donnés par leur professeur à l'entraînement, etc. À vrai dire, lorsqu'ils sont lancés sur ce sujet, il est parfois difficile de les arrêter. En revanche, si vous leur demandez comment ils travaillent le côté mental de leur jeu, ils vous lancent un regard vide ou haussent les épaules. Peut-être redoutent-ils tout ce qui se cache derrière le mot « mental » ! Pourtant, le meilleur des jeux risque de s'effriter sous la pression s'il n'est pas complété par la bonne attitude mentale. Lorsque vous avez acquis une technique de base assez solide, un swing fiable, si vous voulez améliorer vos scores, il est indispensable de développer l'aspect psychologique de votre jeu.

Pourquoi arrive-t-il qu'un joueur doté d'une bonne technique perde face à un adversaire moins fort ? La réponse est simple : le gagnant possède une conscience plus aiguë de chaque situation qui se présente sur le parcours, il sait surmonter sa nervosité et se décontracter quand il le faut. Il peut se concentrer lorsqu'il le souhaite. Il a ainsi une plus grande confiance en ses capacités, ce qui l'aide à mieux jouer et à profiter pleinement du jeu. Le joueur détendu et confiant évolue dans les limites de ses capacités ; c'est pourquoi il commet moins d'erreurs et, très souvent, s'impose. Mais ne croyez pas que ces qualités reviennent de droit à certains joueurs. Tous les golfeurs peuvent améliorer leur jeu en faisant travailler leur esprit.

L'entraînement psychologique consiste à se préparer pour affronter toutes les situations qui peuvent se présenter sur un parcours, de manière à y faire face au mieux de ses possibi-

Sans ces bunkers, vous aborderiez sans doute ce coup d'une manière bien plus décontractée, n'est-ce pas?

lités. Prenons l'exemple d'une situation que connaissent bien tous les golfeurs. Votre balle se trouve à cinquante mètres du drapeau, mais elle en est séparée par un bunker. Vous savez qu'un petit pitch très simple (comme ceux que vous réalisez si bien à l'entraînement ou dans votre jardin) fera retomber la balle légèrement en deçà du drapeau, et qu'elle roulera ensuite vers le trou pour vous laisser un putt facile à exécuter. Que se passe-t-il? Soit vous manquez votre coup, et la balle roule doucement dans le sable; soit vous jouez trop long ou trop vite afin d'éviter à tout prix le bunker, et la balle roule trop loin, parfois même dans le rough qui se trouve de l'autre côté du green. Vous aviez évalué correctement la situation et vous saviez ce que vous deviez faire, mais vous n'êtes pas parvenu à surmonter le blocage psychologique créé par le bunker; vous n'avez pas pu réagir de manière automatique en exécutant le swing idéal qui aurait produit un coup gagnant. Vous avez besoin d'entraînement psychologique, comme tous les golfeurs.

L'entraînement psychologique présente un avantage non négligeable sur l'entraînement physique: il n'est pas nécessaire de se rendre sur le parcours pour s'y consacrer. Vous pouvez, bien sûr, travailler votre mental sur le parcours, mais n'importe quel lieu convient: chez vous, dans le train ou l'autobus, en attendant un rendez-vous, etc.

L'esprit conscient et subconscient du golf

Le cerveau et son fonctionnement — quelle partie contrôle quoi, etc. — ont été l'objet de nombreuses recherches. Nous n'essaierons pas ici d'expliquer *les raisons* pour lesquelles l'esprit travaille ainsi, mais nous chercherons plutôt à apprendre à utiliser ce que nous savons sur la manière dont il fonctionne, afin d'améliorer notre jeu mental.

L'esprit conscient pense, alors que l'esprit subconscient enregistre une expérience et la conserve. Quand le subconscient est confronté à une situation qu'il a déjà vécue, il envoie au corps des signaux qui lui commandent de réagir de la même façon que la fois précédente. Si ces expériences étaient positives, c'est-à-dire qu'elles se sont soldées par une victoire, le subconscient se souviendra toujours, dans des circonstances analogues, comment le corps avait réagi pour les obtenir. En revanche, si elles étaient négatives, il répétera, malheureusement, le même résultat. La réaction du subconscient est automatique et il faut l'aider, en le faisant travailler, si on veut la modifier.

Votre subconscient est un banquier

On peut comparer le subconscient à un compte en banque avec une colonne débit et une colonne crédit. Nos expériences, quelles qu'elles soient, alimentent ce compte, dans l'une ou l'autre colonne. Cela vaut également pour tout ce qui nous arrive dans la vie, mais c'est le domaine du golf qui nous intéresse ici.

Les crédits et les débits du golf

Quand vous réussissez un bon coup au golf, vous faites une expérience positive. Cela ne consiste pas à envoyer la balle à 220 mètres ; il s'agit simplement de jouer correctement, dans la limite de vos capacités. Imaginons que votre balle se trouve sur le fairway, à 125 mètres du green. Vous savez que vous pouvez atteindre le green d'un coup de fer 6. Vous prenez votre club, exécutez votre coup, et la balle retombe sur le green. Vous éprouvez une grande satisfaction : c'était une expérience positive, qui s'inscrit automatiquement dans la colonne crédit. En revanche, si vous manquez votre coup et devez chercher votre balle dans le rough, la colonne débit s'alourdit. La prochaine fois que vous vous trouverez dans une situation semblable, si votre crédit est plus important que votre débit, votre subconscient vous ordonnera de réagir de la manière qui avait produit un résultat positif, et vous aurez de bonnes chances d'atteindre le green en utilisant le même club. Naturellement, l'inverse est également vrai. Si votre compte en banque est fortement débiteur, vous risquez de vous retrouver dans le rough.

Augmenter vos crédits

Un golfeur moyen frappe la balle entre cent et cent quinze fois sur un parcours de dix-huit trous, ce qui constitue autant d'expériences. Sur le practice, il est facile d'augmenter ce nombre en vous concentrant sur les résultats que peut produire un seul club. Vous accomplissez alors un travail physique (force, souplesse et technique) et un travail mental (en renflouant votre compte d'expériences essentiellement positives, c'est-à-dire de bons coups réalisés avec des clubs spécifiques). Cependant, l'entraînement psychologique le plus efficace est celui que vous effectuez *sans* vos clubs, c'est-à-dire en faisant travailler votre imagination et en lui commandant uniquement des expériences positives. En effet, le cerveau humain présente la caractéristique intéressante d'être incapable de faire la distinction entre ce qui se produit dans la réalité (quand on frappe la balle) et ce que l'on imagine (quand on visualise l'exécution d'un coup).

Mais attention : n'essayez pas de tromper votre subconscient ; il n'acceptera un coup imaginaire que si celui-ci est compatible avec vos capacités. Ne songez pas à frapper un coup de 145 mètres sur le fairway et à faire retomber la balle sur le green si vous savez pertinemment que vous êtes tout au plus en mesure d'envoyer la balle à 100 mètres. *Votre subconscient connaît parfaitement les limites de vos possibilités.*

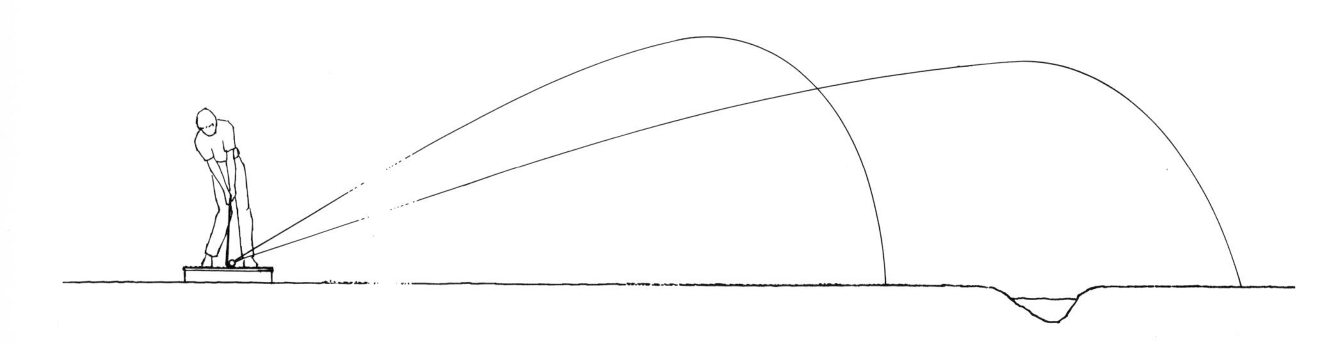

Jouez toujours un coup «honnête envers vous-même», que vous savez à votre portée. Par exemple, négociez le coup illustré ci-dessus de manière à vous laisser une bonne marge de sécurité par rapport à la rivière.
Si votre subconscient sait que vous n'êtes pas capable de jouer ce coup très long par-dessus la rivière, il vous le prouvera en faisant tout ce qu'il faut pour que la balle tombe dans l'eau.

Golfeur, connais-toi toi-même!

Il importe avant tout de prendre conscience de votre niveau. Vous ne pourrez pas avoir confiance en votre jeu si vous ne savez pas exactement ce que vous pouvez faire ou non. Franchement, où vous situez-vous? La confiance commence par l'honnêteté envers soi-même. Si vous vous dites que vous êtes capable d'envoyer la balle à 180 mètres sur le fairway, et à une trentaine de mètres de l'obstacle d'eau que vous apercevez, et si vous réalisez ensuite ce pari, vous renforcez votre confiance grâce à un nouveau crédit sur votre compte en banque. Si vous songez à envoyer la balle plus loin, en vous disant que vous allez lui faire franchir l'obstacle d'eau et l'expédier à plus de 190 mètres, vous cherchez à tromper votre subconscient, qui *connaît la vérité* quant à votre niveau. Quand vous manquez votre coup, votre confiance est ébranlée et vous devez repartir à zéro pour la reconquérir.

Il est essentiel de vous faire une idée juste de votre swing et de ses capacités. Vous risquez de manquer bon nombre de coups si vous essayez de déposer un coup de fer 3 dans une zone de 5 mètres de diamètre alors que vous savez que votre marge d'erreur sur un coup de fer 3 se situe entre 15 et 20 mètres. Vous ne vous accordez pas une chance équitable, et vous vous imposez une pression excessive en cherchant à jouer au-dessus de votre niveau réel; le coup qui en résultera sera bien moins bon que si vous l'aviez joué de façon raisonnable.

Vous montrer honnête en ce qui concerne votre jeu est une priorité. Il faut trouver la distance que vous pouvez faire parcourir à la balle à l'aide de chaque club. Pour cela, vous devrez rester sur le parcours d'entraînement et répéter vos différents coups afin d'évaluer la distance moyenne que parcourt la balle dans chaque cas.

Prenez conscience de la longueur moyenne de vos coups

Rendez-vous sur le practice très tôt le matin, avant l'arrivée des autres joueurs, lorsque le terrain n'est pas encore jonché de dizaines de balles qui risqueraient de vous perturber. Échauffez-vous comme vous en avez l'habitude (voir pp. 35-37). Prenez ensuite un club, par exemple le fer 9; préparez-vous normalement et utilisez votre mouvement complet pour frapper une vingtaine de balles. Jouez depuis un bon lie. Mesurez ensuite la distance qui vous sépare de la balle qui est allée le plus droit et le plus loin. Vous obtenez ainsi la longueur

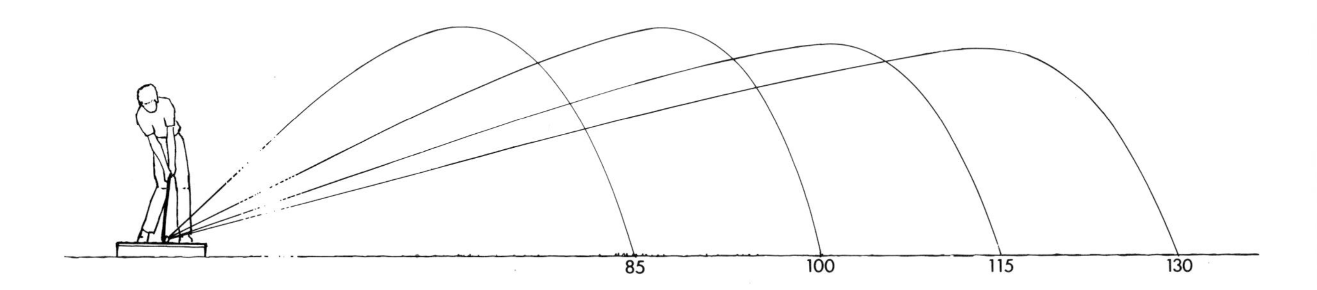

Évaluez la longueur moyenne de vos coups avec chaque club. Inscrivez ces renseignements dans votre carnet, et mettez-les à jour au début de chaque saison ou lorsque vous sentez que la longueur de vos coups a varié.
Il est essentiel pour votre jeu psychologique de savoir à quelle distance vous envoyez normalement la balle avec chaque club.

maximale de votre coup de fer 9. Ne tenez pas compte des balles que vous avez manquées, et essayez de trouver la distance moyenne pour le plus grand nombre de balles. Mesurez la distance entre ces balles, mais n'oubliez pas que sur un sol dur, les balles rebondissent et roulent plus loin que sur un sol souple. Imaginons que votre moyenne soit de 80 mètres, les balles utilisées pour atteindre cette distance se situant entre 70 et 90 mètres. Notez ce chiffre dans votre carnet de golf. Vous n'en possédez pas ? Réparez cette erreur au plus vite, c'est un investissement utile. Procédez ainsi pour tous les clubs avec lesquels vous jouez et inscrivez la distance moyenne que vous réalisez et la largeur de la zone de chute des balles. Posez sur un tee les balles frappées avec les clubs pour lesquels vous recourez habituellement au tee. Vous obtiendrez la longueur moyenne de chacun de vos coups. Cet exercice vous permet de savoir que, si vous utilisez votre fer 9, vous pouvez envoyer la balle à 80 mètres. Vous commencez à bien vous connaître.

Répétez cette opération aux abords du green, en utilisant vos petits fers. Établissez la longueur et la trajectoire que vous donnez à la balle avec chaque club, en notant l'ampleur de votre backswing et en gardant une vitesse de swing constante.

Ayez toujours votre carnet de golf sur vous et n'hésitez pas à le consulter quand vous jouez. C'est la seule façon de savoir quelle cible vous pouvez raisonnablement choisir avec tel ou tel club. L'une des clés de la réussite est la connaissance de vos capacités, car elle mène à la confiance !

Le cerveau du golf

Tout d'abord, il faut connaître le fonctionnement du cerveau pendant un parcours de golf. Le cerveau est divisé en deux hémisphères. L'hémisphère gauche analyse la situation : la balle bien placée sur le fairway, à 90 mètres du green, bordé par un bunker sur la gauche et un rough sur la droite, le vent soufflant de gauche à droite ; il permet de conclure logiquement que, compte tenu de votre niveau, il vous faut un fer 8 pour atteindre le green. L'hémisphère droit reçoit alors cette information et réagit de manière intuitive et artiste. C'est grâce à lui que vous pouvez visualiser un bon coup avant même de frapper la balle, puis l'exécuter de façon automatique (ce swing fluide et « instinctif » à l'origine de tous vos meilleurs coups). Pour simplifier, disons que l'hémisphère gauche est celui qui pense, tandis que l'hémisphère droit ressent et agit. Pour jouer à votre meilleur niveau, il est indispensable que les deux hémisphères du cerveau fonctionnent en harmonie. Toutefois, ils ne peuvent pas travailler en même temps. *On ne peut pas à la fois penser et agir*. Il faut donc bien savoir que quand l'hémisphère gauche a accompli son devoir et transmis les informations à l'hémisphère droit, il devrait laisser la place à l'hémisphère droit, qui «ressent» le résultat positif du coup qu'il visualise, puis vous aide à produire le swing fluide et sans effort qui aboutira à ce coup.

Utiliser son cerveau en jouant au golf s'apparente à une mise en scène théâtrale. Tout d'abord, la pièce doit avoir de bonnes chances de séduire le public. Il s'agit de l'analyse. (Le lie de la balle, le choix du club, etc., «accepteront-ils» votre coup ?) La répétition en costume permet à votre imagination de ressentir l'atmosphère et de visualiser le résultat recherché. Cette répétition en costume est constituée par vos coups de préparation. Arrive ensuite le soir de la première — le coup lui-même —, au cours duquel vous répétez automatiquement et sans réfléchir tous les gestes accomplis lors de la répétition. Le résultat ? Un triomphe. On peut également résumer cette opération par les initiales CIA :

1.C : compréhension du club à utiliser et du coup à exécuter ;

2.I : imagination, qui vous permet de visualiser un résultat positif de votre swing de préparation ;

3.A : association, qui vous aide à répéter votre swing d'entraînement réussi, cette fois en frappant vraiment la balle.

L'HÉMISPHÈRE GAUCHE
ANALYSE LA SITUATION
ET TROUVE LA MÉTHODE
D'ACTION LA PLUS EFFICACE

PUIS IL COMMUNIQUE AVEC

L'HÉMISPHÈRE DROIT QUI
VISUALISE LE COUP IDÉAL,
TROUVE LE TOUCHER ET LE
RYTHME PARFAITS,
ET PERMET AU CORPS
D'EFFECTUER LE SWING
DE MANIÈRE FLUIDE
ET SANS EFFORT.

LES QUATRE PRINCIPES FONDAMENTAUX DU GOLF

Depuis que le golf existe, les joueurs se sont dépensés sans compter pour essayer de progresser. On produit constamment de meilleurs équipements, des lieux d'entraînement plus nombreux et mieux étudiés sont aménagés et, enfin, on recourt de plus en plus souvent à des moyens d'aide technique, comme les ouvrages pratiques, les photos et les films vidéo. Les grands sportifs ont toujours été conscients qu'une attitude mentale particulière était indispensable: seuls ceux qui parvenaient à associer les qualités techniques et la confiance en leurs possibilités atteignaient le sommet; toutefois, il a fallu attendre les années soixante-dix et quatre-vingt pour que les pratiquants occasionnels soient convaincus qu'entraîner l'esprit à penser positivement en vue de vaincre est possible et que les joueurs qui le font sont ceux qui gagnent des matches importants avec des adversaires d'égale valeur.

Au cours de cette période, les recherches menées dans le domaine de la psychologie du sport ont abouti à quatre principes fondamentaux qui permettent d'accéder à la réussite: connaissance, compréhension, qualités techniques et attitude mentale de l'individu. Bien que cela s'applique à d'autres disciplines, le golf est particulièrement concerné par ces résultats.

LA CONNAISSANCE

Pour pratiquer le golf, il est primordial de savoir comment la face du club frappe la balle pour bien comprendre le jeu. De nombreux spécialistes se sont penchés sur la question de la trajectoire des balles que nous allons rapidement passer en revue pour vous servir de guide. Seuls, cinq éléments affectent la direction et la vitesse de la balle de golf: la tête de club, la tête de club, la tête de club, la tête de club et, enfin, la tête de club. Ne souriez pas: cette affirmation peut vous sembler facétieuse, mais elle a pour but d'attirer votre attention sur un point capital, à savoir que *les cinq éléments qui affectent la trajectoire de la balle ont un rapport avec la tête de club*. Il s'agit de:

1. La trajectoire du swing.
2. La position de la face du club.
3. L'angle d'approche.
4. Le sweet spot.
5. La vitesse.

La trajectoire du swing

À l'impact, la trajectoire du swing — trajectoire que suit la tête de club — peut être orientée droit vers la cible, sur sa gauche ou sur sa droite. Le swing correct est celui qui envoie la balle droit sur la cible: pendant sa descente, la tête de club part de l'intérieur de la ligne de la cible, qu'elle suit à l'impact, avant de revenir vers l'intérieur pendant la traversée. Si vous entamez le mouvement de descente du club depuis les épaules, la tête de club sera déviée sur la gauche, partant de l'extérieur et finissant à l'intérieur de la ligne de la cible, sur une trajectoire extérieure-intérieure. À l'inverse, si vous entamez votre mouvement depuis le bas du corps, la tête de club aura tendance à partir sur la droite de la cible, débutant à l'intérieur de la ligne de la cible et terminant à l'extérieur, sur une trajectoire intérieure-extérieure. La déviation de la balle peut également être due à une mauvaise position ou à un alignement défectueux. Par conséquent, la trajectoire du swing dicte la direction dans laquelle part la balle. Elle affecte également l'orientation de la face de club à l'approche du sol (voir le point 3 en page 16).

LA TRAJECTOIRE DU SWING

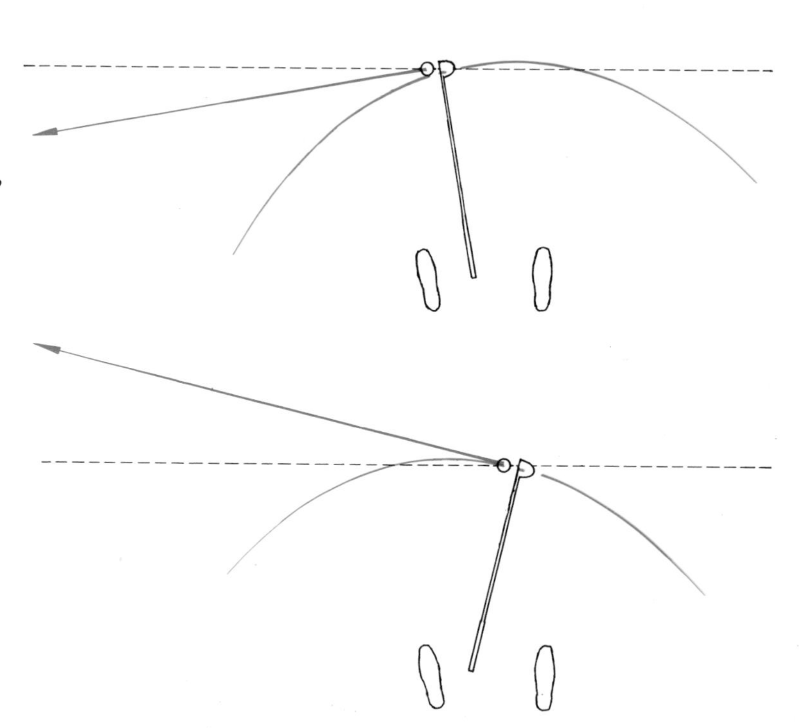

1. INTÉRIEURE-DROITE-INTÉRIEURE
La balle part tout droit en direction de la cible.

2. EXTÉRIEURE-INTÉRIEURE
La balle part sur la gauche de la cible, selon un degré équivalent à celui de la trajectoire du swing sur la gauche de la ligne de la cible.

3. INTÉRIEURE-EXTÉRIEURE
La balle part sur la droite de la cible, selon un degré équivalent à celui de la trajectoire du swing sur la droite de la ligne de la cible.

La position de la face du club

La position de la face du club est son orientation à l'impact. Cette direction est déterminée par la position des mains sur le club et par la fermeté de votre prise. À l'impact, la face du club peut être orientée droit sur la cible, sur sa gauche ou sur sa droite. Si la tête de club est pointée dans la même direction que le swing, les deux étant dirigées droit sur la cible, la balle partira droit vers cette cible. Si la tête de club comme le swing sont orientés du même degré sur la gauche, la trajectoire de la balle sera droite, mais sur la gauche de la cible. En revanche, si la tête de club et le swing sont déviés du même degré sur la droite, la balle partira droit, mais sur la droite de la cible.

Si la face du club est mal orientée à la frappe, la balle sera déviée pendant son vol. Si elle est déviée sur la droite, les joueurs commettent souvent l'erreur de chercher à compenser ce défaut en visant davantage sur la gauche, ce qui modifie la trajectoire du swing. C'est un réflexe naturel mais inefficace, car c'est la face du club qui doit être replacée pour corriger l'erreur. Si

LA DIRECTION DE LA TÊTE DE CLUB À L'IMPACT DÉPEND DE LA TRAJECTOIRE DU SWING

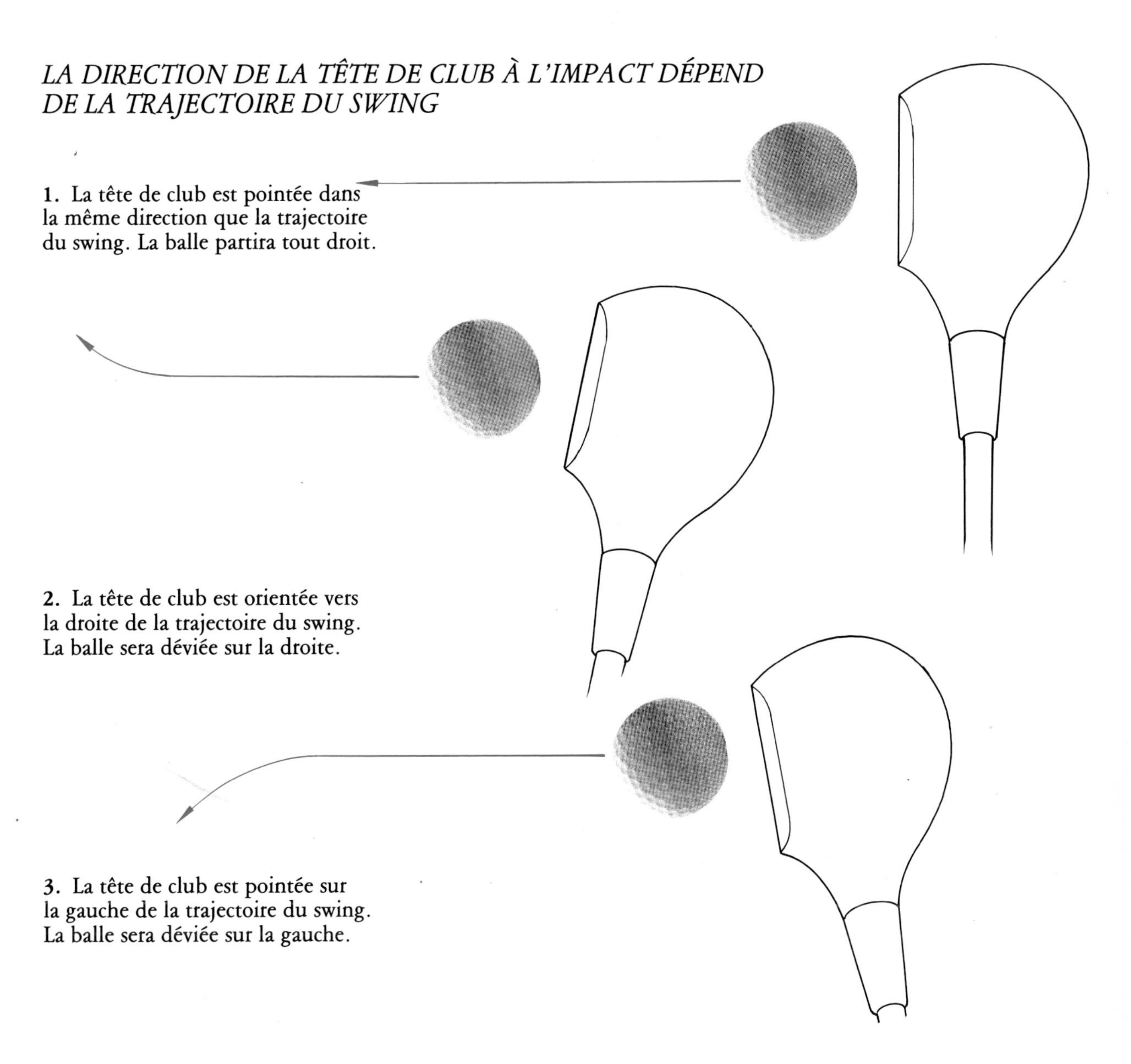

1. La tête de club est pointée dans la même direction que la trajectoire du swing. La balle partira tout droit.

2. La tête de club est orientée vers la droite de la trajectoire du swing. La balle sera déviée sur la droite.

3. La tête de club est pointée sur la gauche de la trajectoire du swing. La balle sera déviée sur la gauche.

la face de votre club est bien orientée à l'impact, vous avez toutes les chances de diriger votre balle sur la bonne trajectoire. Souvenez-vous toujours que sa position à l'impact est l'élément qui détermine la trajectoire de votre coup. Ces observations établissent que la balle partira dans la direction de votre swing et terminera dans la direction que prend la face du club à l'impact. Pour produire un coup qui se dirige droit sur votre cible, il faut donc, à la frappe, faire coïncider la position de la face du club et la trajectoire idéale du swing.

L'angle d'approche

L'angle d'approche — celui de la face du club au moment où elle arrive sur la balle — affecte la hauteur et la longueur de votre coup. Plus vous désirez que la balle s'éloigne, plus sa trajectoire doit être rectiligne. Le club doit arriver sur la balle de l'intérieur, par-derrière et par-dessus. Pour tous les coups avec les fers, la balle doit être frappée d'abord, et le sol ensuite. C'est également vrai pour les coups de fer frappés à partir d'un tee. En revanche, pour les coups de bois sur un tee, la balle ira plus loin

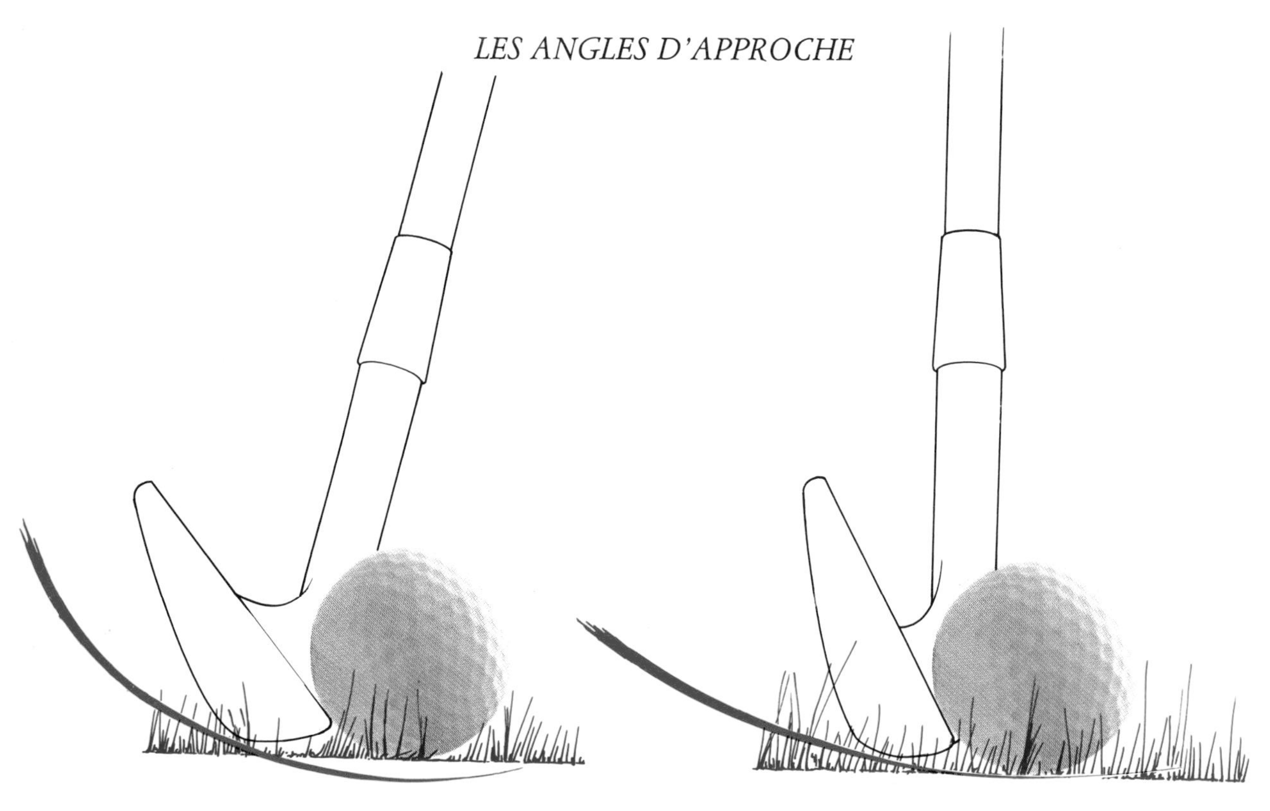

1. VERTICAL
C'est l'angle qu'il faut rechercher avec votre wedge. L'approche verticale du club fera voler la balle très haut et lui donnera un effet rétro.

2. NORMAL (PLUS PLAT)
Vous rechercherez cet angle avec votre fer 3. La frappe s'effectue très légèrement de haut en bas. La balle vole plus loin et plus bas.

si elle est frappée sur une trajectoire légèrement ascendante (juste après le point le plus bas du swing).

Le sweet spot

Le sweet spot est le point de frappe idéal sur la face du club. Si vous ne frappez pas la balle dans le sweet spot, mais au niveau de la pointe ou du talon, vous aurez du mal à contrôler la distance et la direction de votre coup.

La vitesse de la tête de club

La vitesse — la rapidité de déplacement de la tête de club à l'impact — déterminera la longueur du coup si les quatre autres lois gouvernant la trajectoire de la balle sont respectées. N'OUBLIEZ PAS que, quelle que soit la vitesse de votre tête de club, si la face du club ou la trajectoire du swing ne sont pas dirigées vers la cible à la frappe, si l'angle d'approche n'est pas bon et si la balle n'est pas frappée dans le sweet spot, vous n'avez aucune chance d'envoyer la balle à la bonne hauteur et sur la bonne ligne.

LA COMPRÉHENSION

Si vous avez bien en tête les lois énoncées ci-dessus concernant la trajectoire de la balle, vous pouvez mieux comprendre votre jeu à l'entraînement et en compétition. L'expérience vous

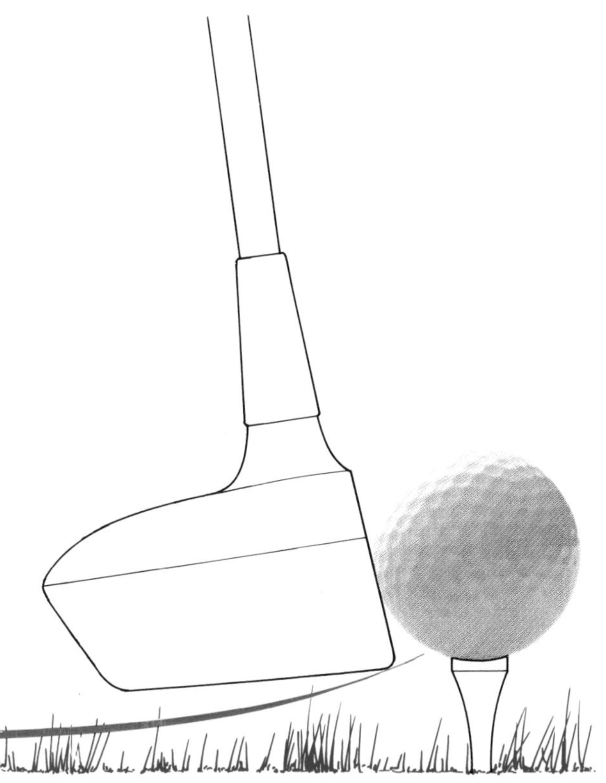

3. LÉGÈREMENT ASCENDANT
C'est l'angle que l'on essaie d'obtenir avec le driver au départ. La balle part assez bas et s'élève peu à peu.

LE SWEET SPOT

Chaque club possède son propre sweet spot, qui est le point optimal pour la frappe sur la face du club.

montrera l'importance primordiale qu'ont les petits gestes qui précèdent la frappe. Si vous changez de position et d'alignement, tout en conservant le même swing, la trajectoire de la balle se trouvera modifiée. Lors de n'importe quel tournoi professionnel, vous serez surpris de constater que les plus grands champions envoient très souvent la balle en fade ou en draw, alors que leur mouvement semble rester le même. En fait, dans ce cas, le joueur a modifié la position de la face du club, en déplaçant ses mains sur le manche du club avant d'effectuer son swing.

Si vous voulez connaître *la direction de la trajectoire de votre swing à l'impact*, utilisez un fer 8 ou un fer 9, ou encore votre wedge. La balle partira dans la direction de votre mouvement.

Si vous souhaitez connaître *la position de la face du club à l'impact*, utilisez les longs fers ou le bois de parcours. Si la balle est déviée pendant son vol, elle partira dans la direction qu'avait la face du club à l'impact.

LES QUALITÉS TECHNIQUES

La bonne technique est la capacité du joueur à exécuter un swing tel que la face du club à l'impact coïncide avec les règles de la trajectoire de la balle. Les golfeurs qui maîtrisent bien la technique peuvent également modifier la trajectoire de la balle en altérant leur position et

LA TERMINOLOGIE DE LA TRAJECTOIRE DE LA BALLE

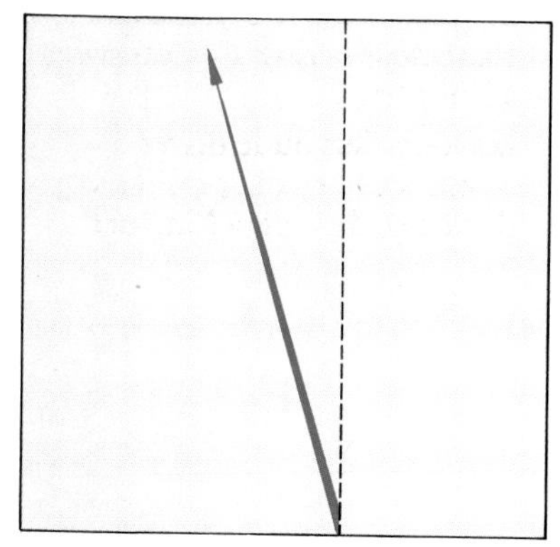

1. PULL
Un pull est un coup qui part sur la gauche de la cible et ne dévie pas de cette trajectoire.

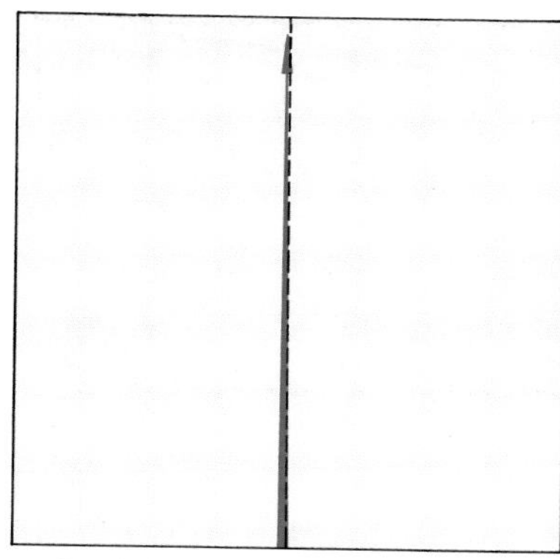

2. DROITE
Une balle frappée sur une trajectoire droite part en direction de la cible et ne dévie pas de cette orientation.

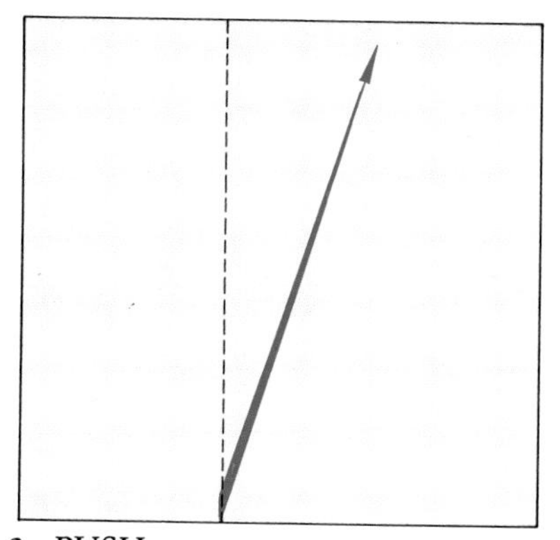

3. PUSH
Un push est un coup qui part sur la droite de la cible et ne dévie pas de cette trajectoire.

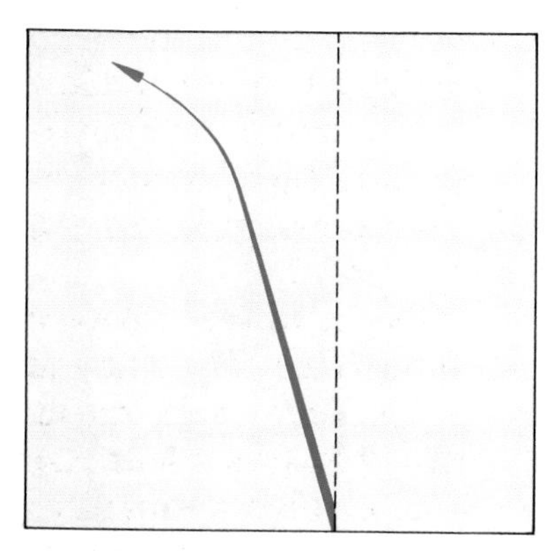

4. PULL-HOOK
Un pull-hook est un coup qui part sur la gauche et qui est dévié davantage sur la gauche.

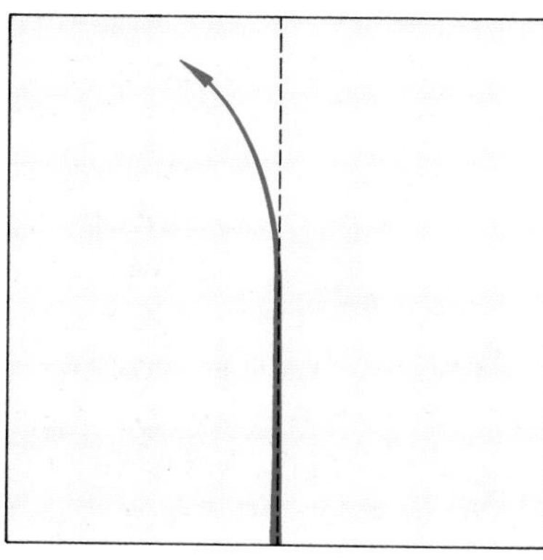

5. DRAW
Un draw est un coup qui part tout droit et qui est *légèrement* dévié sur la gauche.

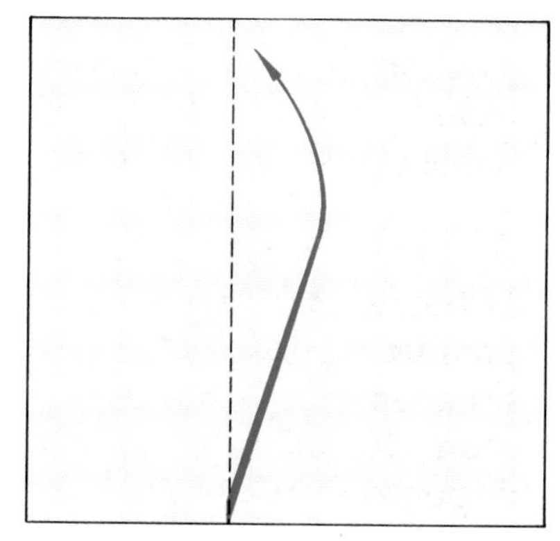

6. PUSH-HOOK
Un push-hook est un coup qui part sur la droite et qui est dévié sur la gauche.

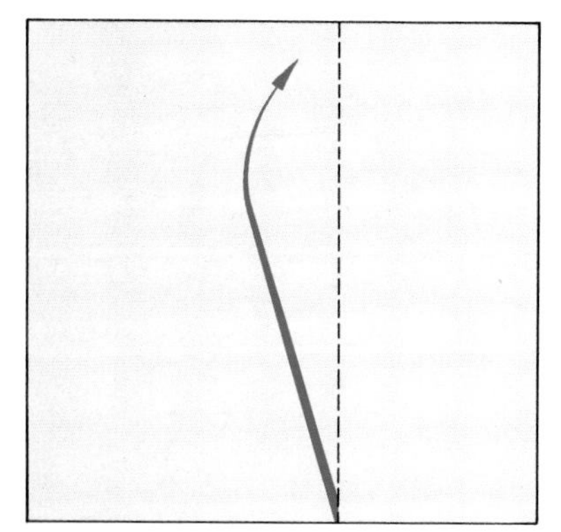

7. PULL-SLICE
Un pull-slice est un coup qui part sur la gauche et qui est dévié sur la droite.

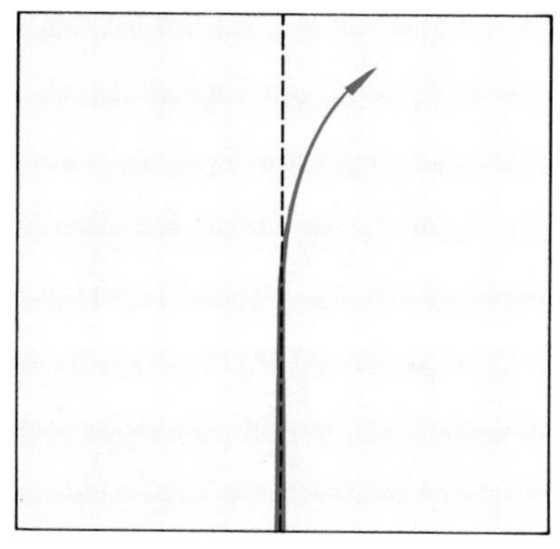

8. FADE
Un fade est un coup qui part droit et qui est *légèrement* dévié sur la droite.

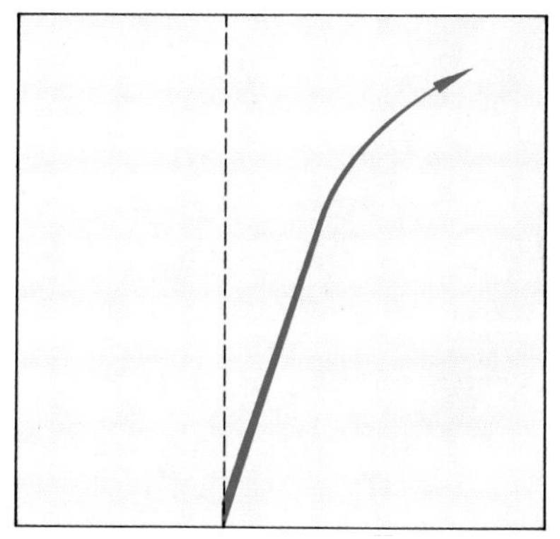

9. PUSH-SLICE
Un push-slice est un coup qui part sur la droite et qui est dévié davantage vers la droite.

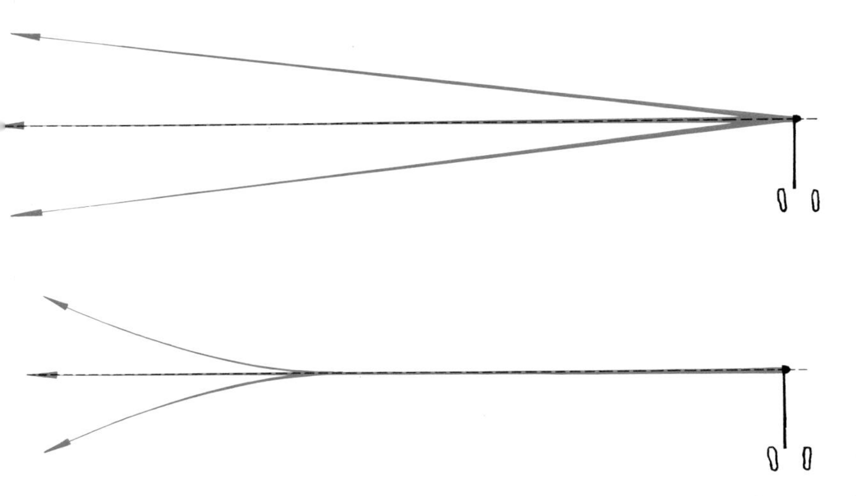

Les plus petits fers montrent clairement la direction du swing à l'impact.

Les longs fers ou le driver montrent mieux la position de la face du club à l'impact.

leur alignement, ou en changeant l'emplacement de leur main et/ou la pression de leurs doigts, afin de produire des coups dont la hauteur, la ligne et le rouler peuvent varier. Vous tirerez le maximum de profit de l'entraînement psychologique lorsque vous aurez acquis une technique assez solide, notamment un swing fiable et efficace.

ATTITUDES MENTALES

La bonne attitude mentale vous permettra de prendre *pleinement conscience* de toutes les situations qui peuvent se présenter sur un parcours, de *connaître* votre niveau d'aptitude et de pouvoir *visualiser* votre coup avant de l'exécuter. Vous serez ainsi incité à jouer davantage, votre nervosité s'amenuisant et votre confiance en vous augmentant.

La plupart des troubles émotionnels que nous éprouvons sont d'origine psychologiques. Il suffit de penser à la course du mile parcourue en quatre minutes. Pendant des années, les athlètes ont visé cette barrière apparemment inaccessible. Lorsque Roger Bannister l'a finalement franchie, d'autres sportifs l'ont rapidement rejoint, et aujourd'hui personne ne s'étonne de voir ce temps, qui paraissait incroyable autrefois, encore réduit.

Quand vous aurez franchi l'un des blocages psychologiques de votre jeu au golf, il ne vous gênera plus jamais. L'entraînement mental vous aidera à juger ces blocages à leur juste valeur, à mesurer vos capacités et à vous placer dans l'état d'esprit le plus favorable pour surmonter ces problèmes.

L'ENTRAÎNEMENT PSYCHOLOGIQUE SANS LES CLUBS

Essayez de pratiquer votre entraînement mental toujours à la même heure. Le moment idéal est avant de vous coucher, quand vous êtes dans une tenue décontractée et confortable et que la maison est relativement calme. Travaillez une dizaine de minutes à chaque fois, puis, au fur et à mesure que cet exercice vous semblera plus facile, allongez-en la durée progressivement.

Essayez de vous entraîner régulièrement : deux fois par semaine pour commencer, jusqu'à une pratique quotidienne.

Détendez-vous !

Le subconscient est particulièrement réceptif quand l'esprit se trouve en état de décontraction. Et l'on n'atteint cet état que si le corps est détendu, grâce à la relaxation. Ne confondez pas cette dernière avec le repos. La relaxation est un processus conscient et délibéré que vous devez travailler afin de bien le maîtriser.

L'environnement dans lequel on se relaxe joue un rôle important, surtout pour un débutant. Trouvez un endroit paisible, où vous ne serez pas dérangé. Essayez d'être le plus possible dans le noir, la lumière étant source de distraction. Mettez des vêtements amples et confortables et retirez vos chaussures.

Étendez-vous sur le dos sur un lit ou un divan. Par la suite, vous apprendrez à vous relaxer en restant assis sur une chaise.

Méthodes de relaxation

Commencez par respirer profondément et régulièrement. Le rythme de tout votre corps est ainsi ralenti et la première phase de la relaxation amorcée. Inspirez lentement par le nez et remplissez bien vos poumons, en laissant votre estomac se distendre pour inspirer le maximum d'air. Quand vos poumons sont pleins, retenez votre souffle pendant deux ou trois secondes, puis expirez aussi lentement que vous avez inspiré, jusqu'à ce que vous sentiez que votre abdomen commence à « se rentrer ». Poursuivez sur le même rythme, très lent. Écoutez le son de votre respiration, et prenez conscience du vide qui se fait dans votre esprit.

La phase suivante commence lorsque vous faites un effort conscient pour décontracter vos muscles, en partant de la pointe des orteils et en remontant lentement ; vous « ordonnez » aux différentes parties de votre corps de se relaxer. Vos orteils s'alourdissent : concentrez-vous sur cette sensation, jusqu'à ce que vous ne sentiez pratiquement plus vos orteils. Procédez ensuite de la même manière avec les pieds, les chevilles, les mollets, les genoux, les cuisses, l'abdomen, le bas du dos, la poitrine, les épaules, et enfin les muscles de la nuque et du visage. Roulez les yeux vers le ciel, paupières closes : laissez votre bouche s'entr'ouvrir et décontractez votre mâchoire inférieure. Chassez toute tension de votre front, évitez de froncer les sourcils. Tous vos muscles doivent être détendus, tandis que vous continuez à respirer régulièrement, mais moins profondément qu'auparavant. Votre respiration est légère, en harmonie avec votre état de décontraction absolue. Vous êtes prêt pour votre séance d'entraînement psychologique.

On peut également décontracter les muscles en utilisant la méthode de tension-relaxation, également appelée méthode Jacobson. Pour décontracter votre main, commencez par la fermer en la serrant le plus possible. Laissez-la ainsi pendant environ cinq secondes, puis détendez-la brusquement : les muscles sont souples et décontractés. Procédez ainsi avec toutes les parties de votre corps jusqu'à ce que vous soyez étendu, totalement relaxé et les yeux fermés. Sans vous endormir, vous vous trouvez dans une sorte de transe détendue. C'est lorsque vous êtes dans cet état que votre subconscient est le plus influençable.

Il existe une troisième méthode de relaxation, utilisée par le personnel de certaines compagnies aériennes pour calmer les passagers trop

UNE SÉANCE D'ENTRAÎNEMENT PSYCHOLOGIQUE

1. *Détendez-vous*
Allongez-vous ou asseyez-vous confortablement. Respirez profondément. Relaxez votre corps, muscle par muscle.

2. *Visualisez le problème*
Imaginez-vous sur le parcours, face à une situation particulière qui vous pose habituellement des problèmes.

3. *Analysez la situation*
Regardez la position de la balle, choisissez votre club en fonction de la cible à atteindre et de votre niveau d'aptitude.

4. *Projection vers la cible*
Effectuez vos mouvements habituels avant la frappe, et efforcez-vous de *voir* mentalement le vol de la balle avant d'exécuter votre coup.

5. *Exécution du coup*
Effectuez alors votre mouvement, sentez le geste parfait et écoutez le son harmonieux du contact de la balle contre le club. Suivez la trajectoire idéale de votre balle, jusqu'à ce qu'elle s'immobilise.

6. *Appréciez ce sentiment de satisfaction*
Vous êtes très heureux du résultat de votre coup et vous venez de faire un nouveau dépôt dans la colonne crédit sur votre compte en banque mental.

7. *Répétez ces images plusieurs fois* pour renforcer votre mémoire musculaire.

8. *« Éveillez-vous » lentement*
Faites quelques inspirations profondes, agitez vos doigts et vos orteils, puis reprenez le cours de vos activités.

nerveux ; elle est particulièrement efficace si vous êtes assis. Imaginez que votre corps est un récipient, rempli d'une tension liquide. Inspirez profondément et, en expirant, imaginez que ce liquide s'évacue par vos orteils. Tandis que la tension s'échappe de votre tête, votre front devient plus lisse, vos yeux se détendent, puis votre nez, vos sinus, vos pommettes, vos lèvres, vos mâchoires. Lentement, toute la tension disparaît, repoussée par l'air que vous expirez. Respirez de cette façon pendant quelques minutes.

L'efficacité de ces exercices vous surprendra. Si vous vous relaxez deux ou trois fois par jour, vous vous débarrasserez d'une bonne partie de votre tension.

Une fois détendu, votre subconscient est réceptif à tous les messages que vous lui envoyez. Pour reprendre l'image du compte en banque, il attend vos dépôts d'argent. Essayez bien sûr de ne toucher qu'à la colonne crédit et d'éviter la colonne débit.

Avant d'aborder des situations spécifiques de l'entraînement psychologique, je vous conseillerais d'utiliser la méthode de tension-relaxation lorsque vous êtes dans une situation de stress, aussi bien dans votre vie quotidienne que sur le parcours de golf, au moment, par exemple, où vous êtes obligé de patienter quelques minutes pour jouer un coup difficile ou très important. Si vous pratiquez régulièrement la relaxation — tous les deux jours depuis une ou deux semaines —, vous parviendrez à vous détendre facilement et rapidement, et ne serez plus crispé dans les situations délicates. Personnellement, je procède toujours à une séance de relaxation après une journée harassante ou lorsque j'ai beaucoup de choses à faire en très peu de temps. Je m'étends sur le sol et je me relaxe pendant quelques minutes ; puis je me relève, revigoré, l'esprit clair, prêt à reprendre mes activités.

SURMONTER LES BARRIÈRES PSYCHOLOGIQUES

Maintenant que vous êtes relaxé, « évadez » votre esprit de son environnement. Détachez-vous complètement de votre vie quotidienne, des soucis et des responsabilités. Transportez-vous jusqu'à l'endroit où les golfeurs se sentent les plus heureux : le parcours de golf. N'essayez pas d'imaginer un parcours que vous ne connaissez pas, mais pensez plutôt à votre parcours habituel, ou à un parcours qui vous est familier. L'esprit apprécie cette impression de *déjà vu* et se sent toujours à l'aise dans un tel environnement. Vous êtes alors prêt à vous attaquer à l'une des situations qui vous préoccupent, c'est-à-dire à une situation qui vous rend nerveux et vous fait perdre vos automatismes et ce swing délié qui produit toujours vos meilleurs coups. De nombreux joueurs sont particulièrement gênés sur le premier drive du premier trou du parcours. Ce point de départ se trouve en général près du clubhouse, où sont assis tous les « experts », observant les joueurs d'un œil critique et émettant souvent des commentaires que l'on peut entendre. Il arrive aussi que des joueurs attendent derrière vous leur tour pour démarrer, de sorte que l'ambiance risque d'être assez tendue, chacun attendant de voir si un autre joueur va se ridiculiser.

La nervosité du premier drive

Imaginez-vous au départ du parcours, au moment où vous allez effectuer votre drive. Placez votre balle sur son tee, regardez le fairway, imprégnez-vous de l'ambiance — les autres joueurs qui vous regardent, les oiseaux qui chantent dans les arbres et la chaleur du soleil. Maintenant, regardez à nouveau le fairway et imaginez le coup que vous allez exécuter, puis choisissez votre club et procédez à vos mouvements de préparation. Placez-vous à l'adresse et frappez la balle. Sentez la fluidité de votre swing, qui est exactement tel que vous le voulez. Écoutez le son, et sentez le contact de votre club lorsqu'il frappe la balle. Poursuivez par une traversée complète et terminez parfaitement en équilibre. Regardez la balle s'envoler, retomber, puis rouler doucement dans la zone que vous aviez choisie pour cible. Le coup s'est déroulé exactement comme vous le vouliez. Vous êtes pleinement satisfait. Répétez ce processus deux ou trois fois au cours de chaque séance, vous créditerez ainsi votre compte en banque — sans même toucher un club de golf !

Laissez ensuite votre esprit vagabonder pendant une ou deux minutes, en pensant à n'importe quoi. Puis prenez quelques inspirations profondes, agitez vos doigts et vos orteils, vos mains, vos bras et vos jambes, jusqu'à ce que vous soyez complètement « réveillé ».

Répétez cette séance chaque jour si possible et au minimum tous les deux jours. Finalement, les crédits sur votre compte en banque psychologique l'emporteront sur les débits (les mauvaises expériences que vous avez pu connaître dans la réalité sur le premier coup du parcours). Cela signifie que le barrage psychologique, construit par toutes vos expériences négatives, s'écroule devant un nombre d'expériences positives plus important.

Le travail mental est efficace

Vous allez peut-être réagir avec un certain scepticisme à ces explications, et il est vrai qu'elles peuvent ressembler à une mystification. Quoi qu'il en soit, cette méthode est efficace, comme pourront en témoigner des centaines de grands golfeurs, de psychologues du sport et de professeurs de golf. En fait, ce type d'autosuggestion ne fonctionne pas seulement pour le golf ; il a été utilisé avec succès dans bien d'autres disciplines sportives, et même dans le monde des affaires et de l'industrie. Essayez cette méthode sérieusement sur une période d'environ trois semaines, et vous constaterez son efficacité par vous-même. Le fait de voir en esprit un coup réussi *avant* de le jouer (il s'agit de la « visualisation » ou « projection vers la cible ») et

La tension au départ. Le joueur n'est pas le seul à être tendu. Tous ceux qui attendent de jouer sont également nerveux. Si vous pouvez vaincre cette tension, vous prendrez un bon départ.

d'éprouver la satisfaction du coup bien exécuté développera chez vous l'habitude de la réussite, ce qui améliorera votre confiance, le plaisir que vous prenez à jouer, et, par là même, vos chances de succès.

N'abordez qu'un seul de vos problèmes par séance d'entraînement psychologique. Quand vous aurez le sentiment de l'avoir surmonté, passez au suivant et procédez de la même manière.

Lorsque vous serez familiarisé avec ce type d'entraînement mental, vous pourrez jouer les dix-huit trous d'un parcours de golf de cette manière, en faisant autant de dépôts sur votre compte en banque. Répétez mentalement les dix-huit trous du parcours à plusieurs reprises avant une compétition importante ; c'est une excellente manière de vous préparer à une journée triomphale.

Le problème du hook

Un autre problème fréquent concerne la tendance à jouer en hook quand vous avez un obstacle d'eau sur votre gauche, même si vous avez l'habitude d'envoyer la balle tout droit ou légèrement slicée lorsque vous frappez votre swing. Votre subconscient n'accepte pas les négations ; par conséquent, si vous lui dites « n'envoie pas la balle dans l'eau », la seule chose qu'il se représente est l'image d'une balle tombant dans l'eau, car il connaît bien l'importance de votre compte en banque négatif sur ce point précis. Là encore, les séances d'entraînement psychologique lors desquelles vous ne vous représentez que des images positives vous aideront à augmenter la liste de vos crédits, et vous parviendrez bientôt à résoudre ce problème.

Ne croyez pas pour autant que tous les problèmes du golf soient le résultat d'une certaine attitude psychologique ! Par exemple, il peut arriver qu'un swing parfaitement bon se détériore en raison d'une erreur dans votre position et votre alignement, ou encore au niveau de votre grip. Abordez toujours vos problèmes de golf en compagnie de votre professeur, afin de savoir si leur cause est technique ou psychologique. Comme je l'ai souligné précédemment, l'entraînement mental est particulièrement efficace si vous possédez déjà une technique de swing relativement fiable.

L'entraînement psychologique avec les clubs

Travailler la visualisation de la cible à l'entraînement
Vous vous tenez devant un petit paillasson au practice, et vous jouez mentalement un trou de par 3 du parcours. Vous visualisez déjà le résultat du coup que vous n'avez pas encore joué. Vous atteindrez cet objectif si vous exécutez votre swing normal et si vous ne vous laissez pas perturber par des éléments extérieurs. Votre attention est entièrement fixée sur la balle, sur la trajectoire qu'elle décrira en l'air,

L'entraînement sur le terrain de practice vous offre l'occasion d'évaluer les progrès que vous avez accomplis grâce à la méthode d'entraînement psychologique que nous venons de décrire. Comme toujours avant l'entraînement, échauffez-vous selon la routine habituelle (voir pp. 35-37). Si vous avez travaillé le problème de la nervosité du premier coup, vous pouvez reproduire sur le terrain d'entraînement la situation particulière du début du parcours. Prenez une seule balle dans votre seau, placez-la sur le tee puis regardez le terrain, en imaginant le fairway du premier trou. Imprégnez-vous de l'ambiance, c'est important : les gens qui vous regardent, les oiseaux qui chantent dans les arbres et le soleil qui brille. Procédez ensuite à vos gestes de préparation, en visualisant le coup que vous allez exécuter, le vol de la balle exactement conforme à ce que vous souhaitez, la balle qui rebondit et qui roule pour s'immobiliser dans la zone que vous visez. Placez-vous à l'adresse, et jouez réellement votre coup. Il devrait être tel que vous l'avez imaginé. Ce double dépôt positif sur votre compte en banque renforcera également votre confiance.

Répétez votre swing avec quatre balles. Marquez une pause, en pensant au bon résultat obtenu, et répétez cet exercice trois fois. Appréciez la réussite de chaque coup. Ensuite,

sur l'endroit où elle retombera sur le green. Tout le reste s'efface de votre esprit. Cette aptitude à utiliser votre imagination pour visualiser le résultat positif du coup à jouer vous aidera beaucoup dans les situations de pression.

terminez votre séance d'entraînement psychologique par une série d'exercices, par exemple en tenant vos pieds serrés pour acquérir un bon équilibre, ou en relâchant la pression de votre main droite sur le club après la frappe pour en sentir les conséquences sur la tête de club. N'oubliez pas que l'entraînement doit aussi être amusant. Enfin, jouez quelques coups que vous réussissez toujours — vous concluerez ainsi votre séance d'entraînement sur une note très positive.

La prochaine fois que vous participerez à une compétition, vous pourrez tester l'efficacité de ces séances d'entraînement psychologique. Dirigez-vous avec confiance vers le départ du premier trou, placez la balle sur le tee, regardez le fairway. Faites l'expérience dans la réalité de l'ambiance que vous aviez imaginée. Suivez toute la routine de votre préparation, imaginez la balle prenant un envol parfait, et retombant pour rouler dans la zone visée. Adressez la balle, et jouez votre coup. Nouvelle réussite. Prenez toujours le temps de savourer votre succès avant qu'il ne soit déposé sur le compte en banque de votre subconscient.

Comme vous pouvez le constater, l'entraînement psychologique peut s'effectuer avec et sans les clubs. Mais dans les deux cas, il faut travailler pour obtenir le meilleur résultat.

ROUTINE ET SITUATIONS FAMILIÈRES

Vous aurez sans doute remarqué que nous nous répétons souvent au sujet de l'ambiance du premier coup du parcours et des oiseaux qui chantent. Quel est le rapport avec l'entraînement psychologique, vous dites-vous ? Bien sûr, ces répétitions sont volontaires, et elles ont un rapport très étroit avec l'entraînement psychologique. L'esprit se sent à l'aise lorsqu'il fait face à une situation familière (n'oubliez pas que le subconscient ne sait pas faire la distinction entre les situations réelles et les situations imaginaires). Cette sensation de déjà vu place l'esprit dans ce que l'on appelle une « zone confortable » : il a déjà connu des situations similaires et l'expérience a été agréable. Par conséquent, il convient de respecter certains principes rituels lors de vos séances d'entraînement psychologique, qu'elles se fassent avec ou sans vos clubs. Chaque fois que vous vous trouvez dans une situation précise, vous devez procéder de la même façon et exactement au même rythme, afin d'établir une série de gestes rituels que l'esprit reconnaîtra rapidement, ordonnant automatiquement aux muscles de réagir de la manière appropriée. (Cela permet de créer ce que l'on appelle une « mémoire musculaire », c'est-à-dire l'action réflexe de certains groupes de muscles lorsque le cerveau leur ordonne d'accomplir des mouvements qui leur sont devenus familiers.) L'habitude permet d'aboutir à ce sentiment de déjà vu dans lequel l'esprit se sent à l'aise et peut donc facilement envoyer les instructions nécessaires aux muscles. La conclusion logique de cette réaction en chaîne est un swing parfait.

La concentration

Votre esprit peut avoir conscience de nombreux détails à la fois : le fairway, la balle, le club, la manière dont vous le tenez, mais il ne peut se concentrer que sur une chose. La concentration est la capacité de fixer toute votre attention sur un objet particulier ou sur quelque chose qui se produit à ce moment précis, en excluant tous les objets ou mouvements annexes qui vous entourent. C'est l'une des qualités mentales les plus précieuses, non seulement au golf, mais aussi dans la vie quotidienne. Lorsque vous apprenez à vous concentrer totalement sur une situation de golf particulière, vous pensez au temps présent, vous augmentez votre conscience de la situation et vous améliorez votre confiance.

Vous pensez au temps présent : cela signifie que vous avez oublié ce qui vient de se produire, par exemple sur le dernier trou, où vous avez pris trois putts (« C'était inutile, pourquoi n'ai-je pas mieux placé la balle sur mon premier putt ? »), et que vous ne pensez pas non plus à ce qui vous attend (« J'aimerais réussir un bon drive sur le trou suivant »), ni au parcours dans son ensemble (« Les neuf premiers trous en 38 ! Je ne pourrai pas conserver ce rythme, quelque chose va se produire et mon score va redevenir normal »). Ce genre de pensées négatives ne peut entraîner qu'un résultat négatif.

La concentration accroît votre conscience en vous permettant de vous dissocier de votre environnement — tous les détails qui risqueraient de vous perturber, comme les bruits, la tension nerveuse créée par les spectateurs — et de vous libérer de tous les problèmes intérieurs, comme vos pensées : doutes, nervosité, incertitude et autres sentiments.

Vous n'êtes plus troublé par les ennuis connus précédemment, ni par la crainte des obstacles futurs, et votre conscience est bien aiguisée : votre confiance en vous et vos chances de réussite sont maintenant considérablement accrues.

Travaillez votre pouvoir de concentration

Vous pouvez travailler votre capacité de concentration grâce à des exercices très simples que vous pourrez pratiquer n'importe où. Un avertissement s'impose toutefois : n'essayez pas de vous forcer à vous concentrer ; c'est un peu comme si vous vouliez vous obliger à dormir : le résultat est souvent l'inverse de ce que vous espériez.

Comment apprendre à provoquer et à maîtriser un niveau élevé de concentration ?

La relaxation physique constitue le premier pas vers la relaxation mentale. Dans un premier temps, vous pouvez vous étendre sur un lit ou un petit matelas. Par la suite, vous apprendrez à vous relaxer en toutes circonstances : quand vous êtes assis chez vous ou au bureau, dans un train ou un autobus, etc. Quand vous serez bien détendu, vous pourrez travailler votre concentration, votre visualisation de la cible, et même jouer un parcours complet dans votre esprit.

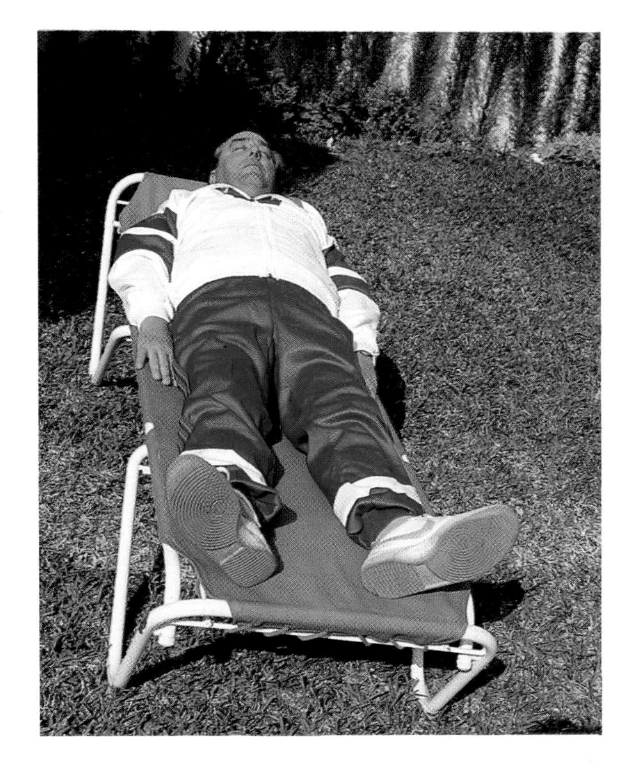

Phase 1

Exercice de relaxation tel qu'il est expliqué aux pages 22-23. Lorsque vous êtes en état de relaxation, concentrez votre attention sur un point précis ; par exemple, sur ce livre. Sentez son poids entre vos mains, la texture de la couverture et son contact avec votre peau. Vous venez de vous concentrer pendant quelques secondes ! Procédez de la même façon avec d'autres objets afin de vous habituer à cet exercice.

Répétez cet exercice plusieurs fois par jour. Vous remarquerez rapidement que vous parvenez à vous concentrer de plus en plus intensément sur un objet précis, à l'exclusion de tout le reste, et que vous pouvez soutenir ce niveau élevé de concentration pendant des périodes de plus en plus longues.

Sans club et sans balle, vous pouvez vous exercer n'importe où : dans le train ou l'autobus, pendant une pause café, ou même dans les vestiaires du club-house. Cela ne prend que quelques minutes. Il suffit de respirer profondément, de vous relaxer et de fixer totalement votre attention sur un point précis. Après quelques semaines, ces exercices vous permettront d'utiliser votre concentration comme vous utilisez une lampe-torche : vous l'allumez quand vous avez besoin d'éclairer un objet ou une situation — ici, le coup de golf à exécuter — qui nécessite une attention totale. Vous l'éteignez (pour épargner les piles !) lorsque vous avez joué votre coup.

Concentrez-vous uniquement sur la balle.

En vous concentrant sur la balle et sur la cible visée, vous pouvez visualiser la trajectoire voulue pour la balle du départ à l'arrivée.

Phase 2

Le prochain objet sur lequel vous choisirez de vous concentrer devra être lié à votre intérêt pour le golf ; par exemple, une balle de golf. Posez la balle sur le sol, comme si vous deviez la jouer. Maintenant, relaxez-vous en utilisant l'une des méthodes exposées précédemment, et regardez la balle, en faisant appel à toute votre concentration. Observez bien sa forme et sa couleur. Considérez ses alvéoles. Pensez à la manière dont votre swing pourra vous permettre de faire voler cette balle sur une trajectoire parfaite dans le ciel. Concentrez-vous ainsi pendant des périodes de trente secondes. Les trente premières secondes sont toujours celles qui paraissent les plus longues. Répétez cet exercice cinq fois.

Phase 3

Même chose que pour la phase 2, mais cette fois sur le practice, en vous fixant une cible précise. Concentrez-vous d'abord sur la balle, posée sur le sol. Puis tournez lentement la tête en direction de votre cible. Concentrez votre attention sur cette cible uniquement, puis ramenez lentement vos yeux vers la balle. Tout le reste doit s'effacer. Répétez cinq fois, en marquant une petite pause entre les exercices. Au cours de cette pause, laissez votre esprit vagabonder à sa guise.

Club en main, adressez la balle. Concentrez-vous totalement d'abord sur la balle...

...puis sur la trajectoire de la balle vers la cible.

Phase 4

Répétez le même exercice, mais cette fois en tenant un club. Adoptez la position à l'adresse et tenez correctement votre club. Transférez alors votre attention du club vers la balle. Concentrez-vous d'abord sur la balle, puis déplacez votre attention le long de la trajectoire voulue pour la balle, en terminant sur la cible. Répétez cinq fois.

Cette série d'exercices a pour but d'aiguiser votre concentration. Pendant que vous jouez, votre attention doit être fixée uniquement sur la bonne trajectoire, le rebond et le rouler de la balle, c'est-à-dire sur le «canal» d'air dans lequel la balle passera, et sur la cible visée. C'est comme si vous éclairiez davantage ces endroits précis, tandis que le reste du paysage est assombri par une sorte de brouillard ou d'obscurité.

Faites ces exercices, avec ou sans la balle et le club, plusieurs fois chaque jour.

À mesure que votre pouvoir de concentration s'améliorera, vous remarquerez que vous parvenez à vous absorber totalement dans la situation présente, à tel point même qu'il n'y aura plus de place dans votre esprit pour le doute ou la crainte de l'échec. Votre mouvement se déroulera tout simplement, sans que vous soyez conscient de ses détails — la manière dont vous tenez votre club, l'endroit où s'arrête votre backswing, etc. Votre swing devient alors ce geste merveilleux, simple et fluide qui vous donne vos meilleurs résultats.

N'essayez jamais de forcer votre concentration. Comme votre swing de golf, elle ne fonctionnera que si vous la laissez faire librement.

L'importance de l'entraînement. On voit ici deux joueurs professionnels expérimentés qui suivent leur séance d'entraînement bien préparée.

CHAPITRE 2

L'ENTRAÎNEMENT

S'entraîner, c'est répéter des mouvements afin d'entretenir ou d'améliorer ses capacités. Pour avoir une réelle efficacité, vos séances d'entraînement doivent être un moment agréable et bien étudié dans votre vie de golfeur. Il est inutile d'arriver sur le parcours d'entraînement à toute vitesse, de prendre un seau de balles et de les envoyer au loin avant de courir jusqu'au parcours pour jouer. Cela n'améliorera aucunement votre jeu. En revanche, tout ce que vous aurez gagné, c'est de vous être simplement échauffé, d'avoir accru votre niveau de stress, d'avoir perdu votre rythme et d'avoir décuplé votre nervosité.

L'ENTRAÎNEMENT DOIT ÊTRE PRÉPARÉ

Votre carnet de golf est indispensable pour améliorer votre jeu. Vous pouvez y préparer votre entraînement et noter vos résultats, y indiquer la longueur moyenne de vos frappes ainsi que vos scores. Choisissez-le petit et pratique, de façon qu'il tienne dans une poche de votre sac de golf.

Si vous prenez l'entraînement au sérieux, il vous permettra d'obtenir de bons résultats. Il est préférable de procéder de manière méthodique, et noter vos progrès est très important. Nombreux sont les golfeurs qui s'imaginent être stupides si, sur le parcours, ils inscrivent chacun de leur coup et le résultat obtenu sur un calepin, mais c'est encore la seule façon de progresser.

Vous en apprendrez davantage si vous venez au club simplement pour vous entraîner plutôt que pour jouer. Sur le terrain de practice, pensez toujours à un point précis de votre jeu qui a besoin d'être perfectionné. Ne choisissez qu'un seul coup car, si vous en travailliez plusieurs, vous pourriez sombrer dans la confusion. Avant l'entraînement, comportez-vous comme si vous vous prépariez pour un parcours. Vérifiez tous vos clubs et assurez-vous qu'il ne vous en manque aucun. Échauffez-vous comme d'habitude. Cela entretient cette sensation de familiarité à laquelle votre esprit et vos muscles pourront réagir de manière automatique.

L'ÉCHAUFFEMENT

Ne commencez jamais votre entraînement, et à plus forte raison une compétition, sans vous échauffer. Non seulement votre swing en souffrirait, mais vous risqueriez aussi de vous froisser un muscle en démarrant « à froid ». Vos muscles de golfeur — ceux qui gouvernent votre swing — sont au meilleur de leur forme à une température d'environ 37 °C. S'ils sont plus froids, vous constaterez que votre swing manquera de fluidité et de coordination. Des expériences ont prouvé qu'il faut faire travailler les muscles du golf de façon intense pendant cinq à dix minutes pour qu'ils atteignent cette température optimale. Grâce aux illustrations ci-dessous, vous pourrez effectuer divers mouvements pour vous échauffer et faire travailler vos muscles le mieux possible.

Roulez vos épaules vers l'avant, puis en arrière, quinze fois.

Étendez les bras latéralement et décrivez de petits cercles dans l'air. Répétez cet exercice quinze fois, en augmentant progressivement la grandeur des cercles jusqu'à atteindre votre maximum.

Prenez votre wedge et, en rapprochant vos mains le plus possible, «séchez»-vous le dos, comme si votre club était une serviette. Répétez quinze fois.

À l'aide de votre tête de club, écrivez en l'air les nombres de 1 à 20. Gardez toujours le bras tendu.

Écrivez à nouveau en l'air les nombres de 1 à 20, mais cette fois en tenant fermement votre coude contre votre hanche.

Enfin, écrivez en l'air les nombres de 1 à 20 en utilisant uniquement vos mains et vos poignets.

Effectuez un swing aux trois quarts de votre puissance avec le fer 9 et jouez une dizaine de balles. Cela vous aidera à trouver une frappe solide et un bon rythme.

Terminez votre échauffement par une dizaine de swings d'entraînement dirigés vers votre cible, en marquant entre deux swings des pauses suffisantes pour que les muscles retrouvent un niveau de tension normal. Prenez ensuite un certain nombre de balles, dix par exemple, et jouez-les en utilisant un fer 9 et un swing aux trois quarts de votre puissance, afin de réaliser une frappe solide et un mouvement fluide sur un bon rythme avant de commencer la séance d'entraînement proprement dite. Cette séance d'échauffement préliminaire a pour but d'aboutir à un bon contact de la balle sur un geste souple, de façon à renforcer votre confiance. Pendant votre entraînement physique, n'oubliez jamais l'importance de l'aspect psychologique de votre jeu.

À l'entraînement, vos gestes doivent être exactement les mêmes que ceux que vous utilisez sur un parcours. Autrement dit, *il faut vous entraîner comme vous jouez, et jouer comme vous vous entraînez*. Répétez toujours les mêmes petits gestes avant la frappe : regardez la balle pour voir comment elle est placée, observez votre cible, choisissez une cible intermédiaire, procédez normalement à votre placement et à votre alignement, en visualisant le coup que vous allez exécuter, puis jouez. Conservez votre position de fin d'accompagnement, en savourant la qualité de votre coup.

LA SÉANCE D'ENTRAÎNEMENT : entretenir vos aptitudes

Même si vous jouez régulièrement, il faut vous entraîner pour entretenir votre niveau actuel. Si votre jeu ne vous pose pas de problèmes majeurs, souvenez-vous des points suivants :

1. Ne pensez pas uniquement à la longueur. La manie du drive est assez fréquente chez les golfeurs, mais vous ne devez pas utiliser votre bois pour frapper toutes les balles qui sont dans votre seau.

2. Travaillez surtout votre petit jeu : le putting et le chip. Ces coups sont les premiers à vous trahir.

3. Effectuez toujours des mouvements complets de swing avec les clubs les plus courts et les plus faciles pour commencer, mais ne négligez pas les clubs difficiles !

4. Travaillez les sorties de rough et de bunker.

5. Si vous constatez qu'un club particulier vous pose des problèmes, jouez plusieurs balles avec un club plus court, puis reprenez celui avec lequel vous avez des difficultés. Par exemple, un bois 5 au lieu du bois 3, et un fer 4 au lieu d'un fer 3. Vous renforcerez ainsi votre confiance en vous.

Le travail des longs coups

Vous pouvez suivre la séance d'entraînement suivante pour entretenir et même améliorer votre niveau pendant toute une saison. Il est essentiel d'avoir une idée précise de ce que vous voulez améliorer et du résultat que vous espérez. Il faut également avoir confiance en vos capacités d'atteindre ces objectifs. Chassez toute pensée négative ! Procédez d'abord à votre séance d'échauffement habituelle, puis jouez dix coups à l'aide d'un petit fer pour vous accoutumer à une frappe de balle facile à partir d'un swing souple et fluide. Alors seulement, vous pouvez entamer la première séance de votre programme d'entraînement.

1. Choisissez votre cible et votre cible intermédiaire. Posez un club à plat sur le sol, à l'extérieur de la balle, pour indiquer la trajectoire que devra suivre votre swing lors de la frappe.

2. Pour vous placer, commencez par poser la tête de club derrière la balle en l'alignant vers la cible intermédiaire.

3. Adoptez ensuite votre stance, en plaçant d'abord votre pied droit, puis votre pied gauche. Tenez-vous devant la balle, le dos relativement droit et les genoux légèrement fléchis.

4. Trouvez l'alignement correct. Pieds, genoux, hanches, épaules et ligne des yeux doivent être parallèles et légèrement sur la gauche de la ligne de trajectoire idéale.

5. Imaginez le vol de la balle vers la cible, regardez-la rebondir et rouler pour s'immobiliser exactement où vous le voulez.

6. Quand vous êtes prêt, exécutez votre mouvement.

7. Observez la trajectoire de la balle.

8. Après chaque coup, avancez pour observer votre résultat, puis revenez et recommencez depuis le début. Répétez ce processus jusqu'à ce que vous ayez frappé vos dix balles.

Marquez une pause et notez vos résultats dans votre calepin. Choisissez ensuite une autre cible et recommencez.

Arrêtez-vous dès que vous êtes fatigué, sinon vous vous déconcentreriez et ne pourriez plus progresser. Le programme d'entraînement que nous venons de décrire est valable pour tous vos coups longs. Terminez toujours avec quelques exercices (voir ci-contre) sur des coups que vous maîtrisez bien et par quelques minutes de putting en vous concentrant.

L'entraînement tout au long d'une saison

Établissez un programme d'entraînement pour toute la saison, et respectez-le scrupuleusement. Il doit englober tous les aspects de votre jeu. Vous constaterez que chaque année, il est plus facile de commencer par quelques séances sur le green. Jouez contre vous-même pour les rendre plus intéressantes et, bien sûr, plus amusantes. Ce n'est que quand vous parviendrez à atteindre régulièrement votre objectif de cette distance que vous pourrez passer à des distances plus longues. Commencez donc par des petits putts pour acquérir le bon mouvement et prendre confiance sur ces coups faciles. Passez ensuite à des putts plus longs, puis à des chips faciles depuis un bon lie. Enfin, quand vous maîtriserez ces coups, en amenant par exemple huit balles sur dix à moins d'un mètre du trou, vous pourrez vous éloigner et travailler les chips plus longs et plus délicats. Lors de la séance suivante, travaillez les coups de pitch faciles, et poursuivez de cette manière, en passant aux pitches plus difficiles et aux approches, et ainsi de suite jusqu'à ce que vous ayez travaillé tous vos coups.

Ce programme d'entraînement peut s'étaler sur trois semaines, en fonction du temps dont vous disposez. Prenez tout le temps nécessaire. Si vous voulez réussir, ne travaillez pas tous vos coups à la fois.

La durée de chaque séance dépend de votre handicap, de vos efforts physiques et de votre niveau de concentration.

LES EXERCICES

Voici quelques-uns des exercices qui vous permettront d'améliorer votre équilibre, d'acquérir les bonnes sensations au swing, et de prendre pleinement conscience de la trajectoire de votre club et de la position de la face du club. Incluez un ou deux de ces exercices à chaque séance d'entraînement pour renforcer votre sensation du swing parfait.

1. Frappez la balle en tenant vos pieds serrés.

2. Frappez la balle pieds joints et en soulevant les talons du sol pendant tout votre mouvement.

3. Frappez et arrêtez-vous. Interrompez votre accompagnement dès que possible après l'impact. Quand le manche du club est parallèle au sol sur l'accompagnement, la pointe du club doit être dirigée vers le ciel.

4. Fermez votre stance, en plaçant votre pied droit plus loin en arrière du pied gauche, de manière à obtenir un swing de l'intérieur.

5. Placez la main droite sur la main gauche, la main droite n'ayant aucun contact avec le club.

6. Retirez la main droite du manche du club bien après la frappe. Après une certaine période d'entraînement, vous pourrez relâcher votre main droite de plus en plus tôt après l'impact.

LA SÉANCE D'ENTRAÎNEMENT :
l'amélioration

Notez les résultats de votre séance d'entraînement dans votre carnet, afin de pouvoir suivre votre progression et préparer votre prochaine séance.

Il est préférable de s'entraîner correctement trois fois par semaine pendant vingt minutes qu'une fois par semaine pendant deux heures. Ne placez pas trop de balles devant vous. Ce n'est pas en frappant deux cents balles n'importe comment que vous améliorerez votre swing ou vos scores. Frappez un nombre précis de balles, dix par exemple, pour chaque point que vous souhaitez perfectionner. Entrecoupez ces coups de swings d'entraînement, en observant toujours soigneusement l'éloignement et la direction de votre cible. Puis marquez une pause, asseyez-vous et examinez la situation de manière objective. Êtes-vous satisfait ? Est-ce que toutes vos balles ont suivi une trajectoire droite et franche, et sont arrivées proches les unes des autres ? Si ce n'est pas le cas, sont-elles au moins parties dans la même direction ? Demandez-vous quelle indication la trajectoire de la balle peut vous donner au sujet de votre swing. Revenez aux cinq lois de la trajectoire des balles que nous avons évoquées au chapitre précédent et comparez le résultat de votre swing avec ce qu'elles indiquent.

Tant que ces lois ne sont pas profondément ancrées dans votre esprit, notez-les dans votre carnet afin de pouvoir les consulter facilement. Examinez le tableau des trajectoires de balles ci-dessous, et voyez ce que vous pouvez faire pour corriger vos erreurs.

Un bon swing permet de frapper la balle selon un angle d'approche correct, la face du

TRAJECTOIRE DE LA BALLE	CE QU'ELLE INDIQUE	COMMENTAIRES
Part droit vers la cible, dévie sur la droite en fin de vol.	Bonne trajectoire du swing. Face de club mal orientée, pointée vers la droite (légèrement ouverte à l'impact).	Déplacez vos mains vers la droite sur le grip et/ou relâchez légèrement la pression de la main droite.
Part droit vers la cible, dévie sur la gauche en fin de vol.	Bonne trajectoire du swing. Face de club mal orientée, pointée vers la gauche (légèrement fermée à l'impact).	Déplacez vos mains vers la gauche sur le grip et/ou resserrez la pression de la main droite.
Part sur la gauche de la cible, dévie sur la droite; haute, courte, s'arrête très vite.	Trajectoire du swing et face de club incorrectes. Le club part vers la gauche (de l'extérieur vers l'intérieur) et la face du club est pointée sur la droite à l'impact.	Déplacez d'abord vos mains vers la droite sur le grip afin de corriger la trajectoire de la balle. Puis placez la balle plus en arrière pour raligner votre corps par rapport à la cible. Laissez partir votre club vers le bas sur une trajectoire intérieure-droite-intérieure.
Part sur la droite de la cible, dévie sur la gauche; basse, a tendance à rouler.	Trajectoire du swing et face du club incorrectes. La trajectoire du swing est orientée vers la droite (extérieure-intérieure); la face du club est pointée vers la gauche à l'impact.	Déplacez d'abord vos mains vers la gauche sur le grip afin de corriger la trajectoire de la balle. Puis placez la balle plus en avant pour raligner votre corps par rapport à la cible. Effacez rapidement la hanche gauche avant la frappe pour obtenir une trajectoire intérieure-droite-intérieure.
Part sur la gauche de la cible, poursuit sur une trajectoire droite.	Mauvaise trajectoire du swing, dirigée vers la gauche (extérieure-intérieure); face du club pointée dans la même direction que la trajectoire du swing à l'impact.	Placez la balle plus loin en arrière pour raligner votre corps par rapport à la cible. Laissez partir votre club vers le bas sur une trajectoire intérieure.
Part sur la droite de la cible, poursuit sur une trajectoire droite.	Mauvaise trajectoire du swing, dirigée vers la droite (intérieure-extérieure); face du club pointée dans la même direction que la trajectoire du swing à l'impact.	Placez la balle plus en avant pour raligner votre corps par rapport à la cible; dégagez la hanche gauche à l'impact.
Part sur la gauche de la cible, dévie plus encore sur la gauche.	Mauvaise trajectoire du swing, dirigée sur la gauche (extérieure-intérieure), face du club pointée plus encore vers la gauche à l'impact.	Déplacez vos mains vers la gauche sur le grip, posez la balle un peu plus en arrière pour raligner votre corps par rapport à la cible. Laissez partir votre club vers le bas sur une trajectoire intérieure.
Part sur la droite de la cible, dévie plus encore sur la droite.	Mauvaise trajectoire du swing, dirigée sur la droite (intérieure-extérieure), face du club pointée plus encore sur la droite à l'impact.	Déplacez vos mains vers la droite sur le grip, posez la balle un peu plus en avant pour raligner votre corps par rapport à la cible. Dégagez la hanche gauche à l'impact.
Balle jouée tôt, en descendant, peut se diriger vers la gauche ou partir sur la gauche et dévier vers la droite.	Mauvaise trajectoire du swing, dirigée sur la gauche (extérieure-intérieure), entraînant un angle d'approche trop accentué, le haut du corps étant en avance et le club et les bras en retard à l'impact.	Laissez partir librement votre club et vos bras vers le bas depuis l'intérieur, en allégeant votre prise.
Balle jouée tard, après que la tête de club a touché le sol. La balle part souvent sur la droite.	Mauvaise trajectoire du club, dirigée vers la droite (intérieure-extérieure); l'angle d'approche est trop plat et le club touche le sol trop tôt. Le bas du corps est souvent trop figé à l'impact.	Placez la balle un peu plus loin sur la gauche pour faciliter le mouvement des jambes et des hanches. Resserrez la pression des trois derniers doigts de la main gauche et des deux doigts centraux de la main droite, et effectuez votre swing en déplaçant tout votre côté gauche.

club étant perpendiculaire à la trajectoire du swing, qui est dirigée vers la cible. Ces éléments sont principalement déterminés par la qualité de la prise, de la position et de l'alignement, qui dictent la trajectoire de la balle avant que le mouvement du swing ne soit déclenché. Vous constaterez que les premiers conseils donnés dans chaque cas sont souvent liés à la prise, car une bonne prise entraîne une trajectoire de balle plus rectiligne. La balle s'écarte beaucoup plus de la ligne recherchée quand elle est déviée pendant son vol que lorsqu'elle part droit, mais dans une mauvaise direction. Quand vous parviendrez à obtenir des lignes de vol bien rectilignes — même si elles sont dirigées légèrement à droite ou à gauche —, il vous sera plus facile de corriger vos autres défauts. Débarrassé de ces déviations, vous n'aurez plus qu'à placer votre balle plus en avant ou en arrière pour altérer la trajectoire du swing, de manière que la balle parte sur la ligne idéale recherchée.

Attention : lorsque vous apprenez à modifier votre jeu, il est très important d'être seul, pour éviter toute influence qui risquerait de troubler votre concentration.

Comme nous l'avons dit précédemment, il faut vous attacher uniquement à la partie de votre swing qui a besoin d'être améliorée, même quand vous frappez la balle. Lorsque vous aurez joué ainsi les dix balles que vous vous étiez accordées, arrêtez-vous, examinez votre résultat, et demandez-vous si votre swing est meilleur et si la trajectoire de la balle elle-même s'est améliorée. (N'oubliez pas que vous ne serez pas encore familiarisé avec votre nouveau mouvement, et qu'il vous faudra une ou deux séances d'entraînement pour cela.) Inscrivez toujours dans votre carnet l'évolution de la trajectoire des balles et vos sensations sur votre swing.

Si vous notez une amélioration, recommencez ce nouveau geste avec une autre série de balles, et, cette fois, laissez partir votre swing sans réfléchir de façon précise au point que vous cherchez à corriger. Laissez le geste se faire de lui-même. Ainsi, la correction de votre mouvement, quelle qu'elle soit, se programmera plus facilement dans votre subconscient et dans votre mémoire musculaire. Si votre résultat ne vous satisfait pas, consultez le tableau ci-dessus concernant les trajectoires avant de procéder à de nouveaux essais.

N'oubliez pas que les conseils du professeur de votre club vous seront très précieux pour corriger vos problèmes de swing. Consultez-le systématiquement.

VOTRE « CARTE DE SCORE » À L'ENTRAÎNEMENT

Comme nous l'avons souligné, vous ne pouvez pas vous entraîner de manière efficace si vous ne notez pas régulièrement votre progression. Pour commencer, notez l'objectif de chaque séance d'entraînement — par exemple, si vous souhaitez améliorer la précision de vos approches, trop irrégulières lors de votre dernière compétition. Le défaut se situait-il au niveau de votre position et de votre alignement ? La face de votre club était-elle mal orientée ou la trajectoire de votre swing incorrecte ? Ou encore, aviez-vous mal situé la cible ? Quand vous aurez trouvé votre point faible, vous pourrez établir un plan d'attaque. Prenez le nombre de balles que vous vous êtes fixé, et décidez de la zone que vous prendrez pour cible. Jouez-les en suivant votre routine habituelle, puis arrêtez-vous, analysez la situation et prenez des notes.

La « carte de score » d'entraînement page de droite vous donne l'exemple d'une séance de ce genre.

DATE: 7 juin

OBJECTIF DE LA SÉANCE D'ENTRAÎNEMENT:
améliorer la précision des approches de 70 mètres.

CLUB:
fer 9.

NOMBRE DE BALLES:
3 x 10.

RÉSULTAT:
balles réparties dans un rayon de 15 mètres autour de la cible. 7 balles sur la gauche et longues. 2 balles droites, hautes, mais trop courtes. 1 balle droite et à la bonne distance.

ANALYSE:
pourquoi ces 7 balles trop longues et sur la gauche? Parce que la trajectoire du swing était orientée vers la gauche (de l'extérieur vers l'intérieur), ce qui a envoyé les balles sur la gauche et modifié l'ouverture de la face du club, qui, plus fermée, a envoyé les balles plus loin.
Pourquoi ces deux balles hautes et trop courtes? Parce que, pour éviter cette déviation des balles vers la gauche, vous avez tenu le club trop fermement, empêchant la face du club de se placer correctement à l'impact. La face du club trop ouverte a élevé les balles et leur a par conséquent donné une trajectoire plus courte.

ACTION DE CORRECTION

1. Vérifiez votre cible intermédiaire. Est-elle alignée avec la cible elle-même?

2. Vérifiez la position de la balle. Veillez à ce qu'elle ne soit pas trop avancée.

3. Vérifiez l'alignement des épaules. Ont-elles pivoté trop loin vers la gauche? Veillez à ce qu'elles soient bien rectilignes.

4. Vérifiez votre swing, qui doit être décontracté, partir de l'intérieur, et être effectué avec une prise légère.

5. Jouez une seconde série de balles. Cette fois, toutes les balles étaient droites. 7 d'entre elles avaient la longueur parfaite, une balle a été frappée un peu tard, et deux un peu tôt. La trajectoire du swing est maintenant correcte, mais la pression de votre prise n'est pas encore assez légère et constante.

6. Inscrivez le résultat et tout autre changement dans la sensation de votre swing.

Conservez ces notes prises à l'entraînement afin de pouvoir observer votre progression après une ou deux semaines d'entraînement et de compétition. Y a-t-il eu amélioration? Vos scores sont-ils meilleurs? Dans le cas contraire, vous avez sans doute un défaut plus important, et il faut consulter de nouveau votre professeur pour lui demander conseil.

L'objectif ultime : votre balle tombe dans le trou. C'est ça, le golf !

CHAPITRE 3

LE PUTTING

De tous les coups du golf, le putt est le moins exigeant sur le plan physique, mais le plus difficile sur le plan nerveux. Après avoir parfaitement joué vos coups longs et amené la balle sur le green, vous pouvez avoir à jouer trois putts, par imprécision. Tous les golfeurs ont connu ce genre de situation inutile.

Le putting est l'une des parties les plus difficiles du jeu, mais on y pense trop peu et on ne le travaille pas suffisamment. Il est très rare de voir un joueur demander à son professeur une leçon de putting, bien que tout le monde connaisse l'importance de cet aspect du jeu. Dans ce chapitre, nous examinerons différentes situations au putting, en soulignant le rôle de l'entraînement. Dans chaque situation, nous exposerons la technique idéale et la bonne attitude psychologique. Travaillez votre putting quand vous disposez de beaucoup de temps, et pas juste avant une compétition. Ne prenez pas plus de trois ou quatre balles avec vous sur le green, sinon vous risqueriez de vous déconcentrer.

Au putting, il est important de se sentir à l'aise et décontracté. La tension, en particulier dans les épaules ou les bras, vous empêcherait d'effectuer des mouvements fluides et réguliers. Dans le premier chapitre, vous avez appris à maîtriser la tension par la respiration profonde et la relaxation. N'oubliez jamais ce point, qui vous aidera dans toutes les situations que vous rencontrerez au golf, et surtout au putting.

Lecture du green

En approchant du green, examinez bien les pentes, et en le contournant pour aller poser votre sac du côté du départ du trou suivant, vérifiez de nouveau les pentes de ce côté. Imaginez la trajectoire que suivra la balle en roulant vers le trou. Marchez le long de cette ligne, en évaluant la vitesse nécessaire de la balle, et écartez tous les petits obstacles qui pourraient détourner la balle de sa trajectoire idéale.

LA ROUTINE DU PUTTING

Pensez toujours en termes de routine, afin d'acquérir cette sensation d'habitude et de confiance née de la répétition des mouvements. C'est dans cette situation que l'esprit, détendu, peut permettre au coup de s'effectuer de façon régulière et fluide.

Tenez-vous légèrement en arrière de la balle et visualisez la trajectoire vers la cible, en imaginant le rouler de la balle sur cette ligne. Choisissez un repère intermédiaire qui vous permettra d'orienter la balle correctement. Il peut s'agir d'un endroit où l'herbe est légèrement décolorée ou d'une petite marque sur le sol. Placez-vous alors près de la balle.

Avant toute chose, mettez-vous à l'aise. Chaque golfeur semble posséder sa propre technique au putting, et si ce domaine du jeu vous pose des problèmes, vous devriez examiner de plus près votre visualisation de la cible, votre routine, votre grip et votre geste. N'oubliez pas que votre prise ne doit pas permettre le moindre mouvement de la lame autour de son axe.

La prise superposée inversée

La prise le plus fréquemment utilisée au putting aujourd'hui est appelée prise superposée inversée. Placez vos mains face à face, les pouces perpendiculaires sur le devant du manche. Le dos de votre main gauche et la paume de votre main droite se trouvent face à la cible. Tenez légèrement le putteur dans les trois derniers doigts de chaque main, puis placez l'index gauche par-dessus les doigts de la main droite.

Les swings d'entraînement

Avant de placer le putteur derrière la balle, effectuez quelques mouvements d'essai. Ces swings constituent une partie essentielle de la préparation du coup, car ils vous donneront les bonnes sensations de la longueur du geste nécessaire pour que la balle franchisse la distance idéale. Placez votre club près de la balle et répétez le mouvement à effectuer. Dans le même temps, visualisez la manière dont la balle sera frappée et son rouler vers la cible tel que vous le souhaitez. Cette sensation de réussite est indispensable.

Répétez ces mouvements plusieurs fois pour avoir une idée précise du geste et de la vitesse nécessaires pour que la balle atteigne sa cible. *Faites toujours le même nombre de swings de répétition.* Si un incident quelconque perturbe votre préparation, éloignez-vous de la balle et recommencez depuis le début.

Le putt

Lorsque vous avez répété votre mouvement de manière satisfaisante, placez-vous à l'adresse, en visant votre repère intermédiaire. Votre corps doit être fléchi vers l'avant, de manière que vos yeux soient à la verticale ou légèrement à l'intérieur de la trajectoire et un peu en arrière de la balle ; vous aurez ainsi une perspective parfaite de la ligne idéale.

Tenez votre grip sans trop le serrer, vos mains se trouvant à la verticale ou légèrement en avant de la balle. Envoyez le club vers l'arrière et quelque peu sur l'intérieur. Vos poignets doivent rester passifs, afin que le club et les bras forment un ensemble.

Ramenez la tête du club vers la balle le long de la même trajectoire, en l'accélérant, mais en veillant à ce que la tête du club n'atteigne pas le niveau de la balle avant les mains.

Il est important que le backswing se fasse sur une trajectoire partant de l'intérieur, en particulier sur les petits putts, car c'est toujours dans ce cas que l'on a tendance à faire décrire au club une trajectoire rectiligne, qui ferme légèrement la face du putteur, détournant la balle vers la gauche du trou.

LE GRIP INVERSÉ

Le putting est un coup très personnel, et vous pourrez voir sur les parcours un grand nombre de styles et de grips différents.

L'illustration ci-dessous montre une prise qui pourrait vous être utile si vous avez des difficultés à maintenir la face du putteur parfaitement square à l'impact. On l'appelle grip inversé : il bloque les poignets, empêchant ainsi la lame de tourner autour de l'axe du manche. Ce grip peut faire des merveilles, en particulier pour les golfeurs âgés dont le petit putt s'est détérioré en raison de mouvements saccadés et incontrôlés. Essayez-le et voyez s'il peut vous convenir.

1. Sur le grip inversé, on inverse la position normale des mains sur le manche, de sorte que la main gauche se trouve sous la main droite. Cela réduit les risques de mouvements des poignets et vous aide à maintenir la tête du putteur bien square à l'impact.

2. Le dos de votre main gauche et la paume de votre main droite sont pointés vers la cible.

LA ROUTINE DU PUTTING

Que vous utilisiez une prise classique ou un grip plus particulier, comme le grip inversé décrit ci-dessus et figurant sur les illustrations qui suivent, *vous devez toujours suivre la même routine*, décrite ici.

1. À quelle distance du trou est située la balle, quelle est la pente du green et quelle est la direction du grain du gazon ? Choisissez la ligne que devra suivre la balle et trouvez un repère intermédiaire.

2. Effectuez votre nombre habituel de swings « à vide » pour bien sentir la longueur de votre coup. Votre mouvement sera-t-il suffisant pour permettre à la balle d'atteindre la cible ?

3. Placez-vous à l'adresse, visez le repère intermédiaire et frappez la balle dans un mouvement de balancier fluide des bras, en conservant le même rythme que sur vos swings de répétition.

4. (*Ci-contre*) Restez parfaitement immobile jusqu'à la fin de la frappe.

LES DIFFÉRENTES PHASES DU PUTTING

1. Examinez la position de la balle par rapport au trou, la pente du green et la direction du grain du gazon.

2. Tenez-vous de manière que la balle se trouve entre vous et le trou, et décidez d'abord de la trajectoire, puis de la vitesse que devra prendre la balle pour atteindre la cible.

3. Choisissez un repère intermédiaire, même pour les petits putts. La distance entre la balle et ce repère intermédiaire dépend de la longueur du putt, mais pour un long putt, il est préférable que ce repère se situe tout au plus à 60 centimètres de la balle.

4. Répétez le mouvement de votre swing (faites *toujours* le même nombre de swings) et visualisez un résultat positif.

5. Placez-vous à l'adresse, visez le repère intermédiaire et répétez votre swing en frappant fermement la balle.

6. Restez immobile jusqu'à ce que la balle soit partie.

LE PETIT PUTT

Nombre de joueurs redoutent les petits putts, ou au contraire ne les prennent pas au sérieux. Il est important d'accorder le même respect à tous les putts — un putt de 50 cm est aussi décisif qu'un putt de 6 m sur votre carte de score.

Bien trop de petits putts sont manqués par hésitation et manque de confiance. Quand vous êtes hésitant, vous restez dans votre position à l'adresse pendant si longtemps que vos muscles «se figent», et lorsque vous frappez enfin la balle, votre coup est saccadé, dépourvu de cette fluidité si importante. C'est là qu'apparaît l'aspect essentiel de la routine bien établie qui précède le coup. Cela vous donne le temps de bien examiner la situation, de lire le green, d'effectuer des gestes de préparation et de vous placer à l'adresse pour frapper la balle.

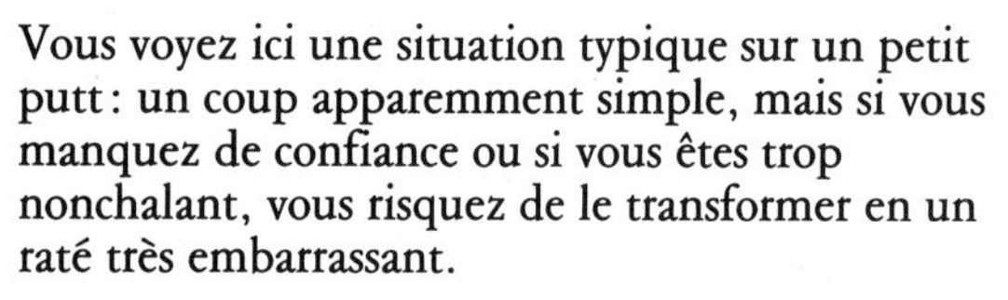

Vous voyez ici une situation typique sur un petit putt : un coup apparemment simple, mais si vous manquez de confiance ou si vous êtes trop nonchalant, vous risquez de le transformer en un raté très embarrassant.

1. Après vous être placé derrière la balle, avoir bien examiné la situation du trou et visualisé la trajectoire que devrait suivre la balle, trouvez un repère intermédiaire. Puis effectuez vos mouvements «à vide», en leur donnant une ampleur suffisante pour envoyer la balle jusqu'au trou. Visualisez cette balle roulant de façon idéale.

2. Placez la tête du club derrière la balle, positionnez-vous à l'adresse, visez votre repère intermédiaire et répétez votre swing en frappant fermement. Restez immobile et écoutez le bruit de la balle tombant dans le trou.

LA DÉMARCHE PSYCHOLOGIQUE

Le manque de confiance va de pair avec l'hésitation. Chaque mauvais putt résulte d'une hésitation et s'ajoute dans la colonne débit de votre compte en banque psychologique. Si vous avez des problèmes avec vos petits putts, concentrez-vous afin d'acquérir un solide sentiment de confiance: visualisez clairement des petits putts réussis et travaillez sur le green, de manière à enrichir la colonne crédit de votre compte en banque.

Ne travaillez jamais vos petits putts avant de débuter un parcours. Si vous en manquez un ou deux, vous risquez de perdre confiance sur ce coup, et votre jeu en souffrira.

Pensez toujours à répéter la même routine, pour acquérir cette confiance qui naît de l'habitude de chaque geste.

3. Répétez la séquence avec la deuxième balle.

4. Recommencez avec la troisième balle. Notez l'immobilité parfaite du corps, notamment de la tête. Ce sont vos oreilles, et non vos yeux, qui doivent vous apprendre si votre putt est réussi.

LE PUTT MOYEN

Les putts moyens sont ceux qui se trouvent à une distance que l'on peut situer de 1,50 m à 6 m du trou, et votre objectif sera d'enquiller la balle ou de l'amener suffisamment près du trou pour que le putt suivant soit immanquable.

Sur les putts moyens, il faut plus tenir compte des pentes du green, ainsi que de la direction du grain de gazon et même du sens de sa tonte, que sur les petits putts. La plupart des golfeurs du week-end ont tendance à jouer leurs putts moyens soit trop courts, soit de telle manière que la balle roule du côté descendant du trou (appelé également le côté amateur). Il est donc conseillé de tenir compte d'une pente et d'une distance plus importantes que celles que vous pensiez nécessaires. Sur un putt moyen, attachez autant d'importance à la direction qu'à la distance, en pensant d'abord à la première, puis à la seconde.

Comme toujours au putting, restez parfaitement immobile jusqu'à ce que la balle ait quitté le club. Entraînez-vous de manière à être capable de réaliser ce coup presque inconsciemment, dans un mouvement libre et fluide, mais bien contrôlé. Quand vous avez frappé la balle, restez immobile. Ne tournez pas la tête ou le corps trop tôt.

1. Observez la pente du green en vous plaçant nettement derrière la balle, et de préférence accroupi. Suivez des yeux la ligne entre la balle et le trou. N'oubliez pas que plus la balle roulera longtemps et lentement, plus elle sera affectée par la pente. Dégagez tous les petits obstacles qui risqueraient de perturber le rouler de la balle.

2. Choisissez un repère intermédiaire. Effectuez votre nombre habituel de swings de répétition et pensez surtout à l'ampleur que doit avoir votre geste pour envoyer la balle jusqu'au trou. Imaginez la balle quittant le club, roulant sur la trajectoire désirée et tombant dans le trou.

LA DÉMARCHE PSYCHOLOGIQUE

Certains joueurs dont le handicap est élevé manquent leurs putts moyens parce qu'ils attachent trop d'importance à la technique (ils pensent aux mécanismes de leur swing tout en le réalisant), au lieu d'utiliser leur imagination pour visualiser la balle partant sur la trajectoire idéale et à la bonne vitesse. Il est absolument impossible de penser et d'agir en même temps.

Sachez qu'il vous faut posséder le bon « toucher » pour ce mouvement, c'est pourquoi il est primordial de visualiser un putt réussi en effectuant vos swings de répétition « à vide ».

3. Placez-vous à l'adresse comme d'habitude, visez votre repère intermédiaire, en utilisant le même swing que vous avez effectué à vide, et frappez la balle solidement dans le sweetspot, afin de l'envoyer sur la ligne idéale jusqu'au trou.

4. Répétez cette séquence avec vos autres balles d'entraînement, en exécutant vos mouvements exactement dans le même ordre. L'important est d'acquérir une routine précise qui vous aidera à réagir parfaitement à chaque fois que vous vous trouverez dans une situation similaire.

LE LONG PUTT

Tout putt de plus de 6 mètres est considéré comme un long putt. Dans ce cas, votre objectif n'est pas nécessairement d'enquiller la balle, mais plutôt de l'amener assez près du trou pour que votre second putt ne vous pose aucun problème.

Les greens modernes sont conçus de façon que la pente descende vers l'avant du green (du côté où vous arrivez). En arrivant près du green et en allant poser votre sac en direction du départ du trou suivant, vous avez le temps de bien voir les pentes du green.

Sur le plan physique, pour réussir un long putt, il faut frapper la balle à la bonne vitesse. Si le green est parfaitement plat, la balle roulera en ligne droite. C'est la pente du green qui détournera la balle sur la gauche ou la droite. Par conséquent, les bons golfeurs jouent la balle en la dirigeant vers un trou imaginaire qu'ils « voient » plus haut que le trou réel et en ligne droite. La pente joue alors son rôle et attire la balle vers le bas et dans le trou.

Sur les longs putts, il s'agit d'approcher autant que possible la balle du trou, et l'expérience a prouvé qu'il est plus facile de trouver la bonne trajectoire que la bonne longueur. La distance est primordiale, c'est pourquoi, à l'entraînement, il faut vous concentrer pour parvenir à donner à la balle la vitesse correcte pour l'amener jusqu'à la cible. L'un des problèmes de l'entraînement sur les longs putts tient au fait que les greens de practice sont généralement très plats ou n'ont qu'une pente très faible.

Ainsi, en toute connaissance de cause, il est recommandé de travailler sur des greens difficiles qui ont beaucoup de pentes, à une heure où les parcours ne sont que peu fréquentés. Votre sens de la trajectoire et de la distance sera ainsi aiguisé.

1. Marchez le long de la ligne séparant la balle du trou, en retirant tous les petits obstacles et en examinant soigneusement les abords du trou (c'est là que la balle roulera le plus lentement et, par conséquent, qu'elle risquerait le plus d'être affectée par les petites irrégularités du sol).

2. Retournez derrière la balle, accroupissez-vous et vérifiez à nouveau votre trajectoire. Choisissez un repère intermédiaire, qui doit être situé à une cinquantaine de centimètres de la balle.

3. Effectuez votre nombre habituel de swings à vide, en évaluant la vitesse que devra avoir votre tête de club pour propulser la balle à la distance voulue. Utilisez votre imagination pour visualiser un résultat parfait et voir la balle s'arrêter dans la région visée.

LA DÉMARCHE PSYCHOLOGIQUE

Jusqu'à présent, vous avez joué beaucoup de putts d'une dizaine de mètres, et, en général, vous ne parvenez pas à placer la balle à moins d'un mètre du trou. Votre hésitation vous conduit à frapper trop fort ou pas assez, de sorte que la balle s'arrête à mi-chemin du trou ou le dépasse de 3 mètres. L'expérience, l'imagination, le « toucher » et la confiance sont les qualités que vous devrez améliorer pour réussir vos longs putts. Elles vous éviterons une trop grande pression sur tous vos autres coups.

L'expérience vous permettra de trouver la trajectoire parfaite sur les longs putts. Vous devrez travailler régulièrement les longs putts, de manière à acquérir l'aptitude à lire correctement les pentes. Si un autre joueur effectue son putt avant vous, regardez la direction que prend sa balle. Elle pourra vous indiquer une petite pente que vous n'aviez pas remarquée lors de votre inspection du green.

L'imagination vous aidera à transformer votre expérience en « toucher ». Quand vous aurez choisi la trajectoire, ce sont vos swings « à vide » – lors desquels vous visualiserez un résultat parfait – qui vous aideront à trouver la longueur et la vitesse idéales de votre mouvement.

La confiance en votre aptitude à réaliser ce que vous avez vu en imagination vous permettra de produire un geste de putting libéré et fluide. C'est l'entraînement psychologique, effectué avec et sans les clubs, qui vous permettra d'accroître votre confiance.

4. Placez maintenant votre club derrière la balle, en visant votre repère intermédiaire. Visualisez un coup réussi et préparez-vous à jouer. Ne changez pas d'avis à la dernière seconde ! Votre première décision est généralement la bonne, et si vous commencez à douter ou si vous êtes troublé par un petit détail extérieur, écartez-vous lentement de la balle et recommencez, en suivant la même routine.

5. Laissez votre coup «se faire» naturellement, et restez bien immobile.

6. Cette fois, non seulement la balle s'est arrêtée dans la zone cible, mais elle est tombée dans le trou, ce qui vous permet d'accomplir le plus facile : aller chercher la balle au fond du trou. Un nouveau dépôt dans votre colonne crédit !

LE PUTTING HORS DU GREEN :
le bord du green

Si vous savez putter avec précision depuis le bord du green, vous pourrez améliorer considérablement vos scores. Il vaut mieux jouer un putt qu'un chip de cet endroit, car un chip mal frappé est généralement moins précis qu'un putt mal exécuté.

Le putting depuis le bord du green est différent du putting long sur le green sur deux points : vous déplacez plus votre poids vers l'avant (sur votre pied gauche), et vos mains doivent être plus en avant de la balle à l'adresse et à l'impact. Cela vous permet de frapper la balle davantage de haut en bas, en éliminant le risque de voir le putteur être freiné par l'herbe plus haute qui est derrière la balle, et de jouer un coup plus franc. La balle doit sauter légèrement par-dessus l'herbe haute, et rouler doucement sur l'herbe rase.

LE TRAVAIL DES PUTTS AU BORD DU GREEN

1. Après avoir examiné le lie de la balle, la pente du green et la texture de l'herbe, comme d'habitude, choisissez un repère intermédiaire. Puis exécutez vos swings à vide pour trouver le bon toucher et l'ampleur correcte du mouvement. Maintenant, adressez la balle. Visez votre repère intermédiaire et vérifiez l'emplacement du trou.

2. Le fait de frapper la balle en tenant les mains en avant fera sauter légèrement la balle par-dessus l'herbe haute et jusqu'au green.

3. (*Ci-contre*) Restez parfaitement immobile pendant le swing, et bien après que la balle a été frappée.

LE PUTT EN BORD DE GREEN :
un lie dégagé

Sur de nombreux parcours piétinés, la région qui borde les greens est souvent très aplatie, notamment dans la direction du départ du trou suivant.

Certaines personnes tentent un chip de cet endroit, mais le putt est un meilleur choix, car il est beaucoup plus facile de jouer un putt dans un lie dégagé en exécutant un mouvement très simple que de recourir au geste compliqué des poignets nécessaire sur un chip.

1. Vérifiez le lie de la balle et la position du drapeau. La balle est posée nettement sur le gazon, qui est assez ras. La distance qui la sépare du bord du green est d'environ 6 mètres, et elle devra encore rouler sur 7 mètres pour atteindre le trou.

2. Choisissez un repère intermédiaire. Exécutez des swings à vide pour trouver le bon toucher en fonction de la trajectoire et de la distance. Quand vous puttez d'un tel endroit, votre poids et vos mains doivent être plus avancés que quand vous jouez un putt sur le green, afin d'éliminer le risque de frotter le sol derrière la balle.

LA DÉMARCHE PSYCHOLOGIQUE

C'est par un entraînement régulier que vous avez acquis l'expérience nécessaire pour savoir que le coup parfait à jouer ici est un putt.

La plupart des golfeurs craignent le putt dans une telle situation, mais cette crainte est injustifiée car les professionnels choisissent toujours le coup qui leur offre les meilleures chances de réussite.

Le fait que vous ayez préféré le putteur au pitching wedge ou au sand wedge prouve que vous êtes en bonne progression.

3. Placez le club derrière la balle, en visant votre repère intermédiaire. Vérifiez la ligne qui va jusqu'au trou. Vos mains et votre poids sont légèrement décalés vers la gauche.

4. Jouez votre coup, en reproduisant votre swing à vide. Vos mains traversent librement la zone de frappe, faisant sauter la balle par-dessus l'herbe haute, avant qu'elle ne roule vers le drapeau.

LE PUTTING HORS DU GREEN : la pente latérale

1. Cette situation est pratiquement similaire à la précédente, mais la balle se trouve maintenant sur une pente latérale et montante. Vérifiez la trajectoire. Dans ce cas, il faudra faire partir la balle nettement vers la droite du trou, pour contrer l'effet de la pente, de sorte que le repère intermédiaire soit situé sur la droite de la ligne séparant la balle du trou.

2. Le stance est très important quand on joue un putt de cet endroit. Tenez vos pieds perpendiculaires à la ligne séparant votre balle du repère intermédiaire.

3. Effectuez vos swings à vide, comme toujours avant de putter hors du green, en décalant vos mains et votre poids vers la gauche. Visualisez le rouler de la balle, en veillant à ce que votre swing soit suffisamment long pour accélérer la balle sur l'herbe haute, jusqu'au green, puis jusqu'à proximité du trou.

4. Placez maintenant le club derrière la balle, aligné sur votre repère intermédiaire, et vérifiez de nouveau la trajectoire avant de reproduire vos swings d'essai en frappant la balle. Dans la situation illustrée, la balle part sur la droite, puis rebondit sur la pente — où elle est détournée vers la gauche avant de rouler sur le green — et s'arrête près du trou. Un nouveau dépôt sur votre compte en banque !

LE PUTTING HORS DU GREEN :
la pente descendante

Ici, le green rapide et en pente a été manqué, et la balle a roulé sur la droite, laissant un coup difficile à jouer, en descente, par-dessus l'herbe haute qui borde le green ; il s'agit d'immobiliser la balle sur la pente descendante près du trou. Si vous choisissiez de jouer un pitch, en faisant retomber la balle courte sur la pente, elle rebondirait sans aucun doute et roulerait jusqu'à l'autre côté du green. En revanche, si votre pitch était trop court et amenait la balle juste devant le green, sur le terrain encore plat, elle serait stoppée. La zone de frappe idéale pour un tel coup est trop réduite pour tous les joueurs, excepté les courageux et les intrépides ; le green est en pente descendante à partir de 2,50 mètres avant le drapeau, et il est donc difficile d'immobiliser un pitch à proximité du trou. Pourquoi ne pas penser au putteur ? Il suffit de donner à la balle une vitesse suffisante pour qu'elle roule sur la pente où elle descendra lentement vers le trou, sans le dépasser.

1. Vérifiez très soigneusement la trajectoire recherchée, car il faut également tenir compte d'une pente latérale. Il est donc essentiel de choisir votre repère intermédiaire de manière très méticuleuse.

2. Tenez-vous debout, en appui confortable, le genou droit plus fléchi que d'habitude pour contrer la pente.

3. (*Ci-contre*) Effectuez vos swings à vide, pour visualiser parfaitement la façon dont la balle roulera sur la pente, arrivera doucement sur le green et à proximité du drapeau.

Un chip correctement visualisé et exécuté depuis cet endroit vous laissera un putt simple à jouer.

CHAPITRE 4

BIEN PENSER, BIEN CHIPPER

Le chip est le coup qui passe le moins de temps en l'air et le plus de temps sur le sol. La balle reste en l'air aussi peu de temps et aussi bas que possible, retombe sur le green, puis roule vers la cible. Il peut être exécuté avec n'importe quel club, du fer 4 au wedge, le choix du club étant fonction du lie de la balle, de la distance que vous voulez qu'elle parcoure en l'air et de la distance qu'elle devra franchir en roulant. Un club ouvert enverra la balle plus haut et la fera rouler moins longtemps.

Certains affirment qu'une balle chippée doit accomplir un tiers de la distance en l'air et deux tiers sur le sol.

Ce n'est pas nécessairement vrai, car tout dépend du lie, de la distance qui vous sépare du bord du green et de celle qui sépare le bord du green du drapeau. La rapidité et la pente du green affectent également le coup à jouer.

Le choix du club

Choisissez un club plus ouvert que ce que vous pensiez nécessaire. En effet, la position que vous aurez pour frapper votre chip fermera légèrement votre club, en vous donnant le sentiment que vous ne pourrez pas atteindre une hauteur suffisante. Pour contrer ce problème, vous risqueriez de faire sauter la balle en l'air, ce qui entraînerait des résultats catastrophiques.

Si vous souhaitez amener la balle sur le green depuis une distance de 3 mètres à 4,50 mètres, n'essayez pas de déposer la balle sur les vingt premiers centimètres du green. Octroyez-vous toujours une marge d'erreur afin de vous assurer que la balle retombe bien sur le green. Un avion qui atterrit ne se pose pas sur les premiers mètres de la piste ; le pilote s'accorde une marge confortable, laissant à l'avion une place largement suffisante pour se poser et s'immobiliser. Plus la piste est longue, plus la sécurité est importante. Jouez toujours la sécurité sur vos chips.

La position pour jouer un chip

Le stance idéal pour exécuter un chip est légèrement ouvert (le pied gauche en arrière de la ligne), et les pointes de pieds, les genoux et les hanches tournés légèrement vers la cible, le poids du corps étant en appui sur le pied gauche. La balle doit être posée légèrement en arrière et les mains nettement en avant de la balle. Cela vous permettra de frapper la balle de haut en bas. Sur les autres points, le chip est similaire à un putt normal.

Le swing

Le chip est essentiellement un mouvement groupé des bras, les coudes restant au même écartement pendant toute l'exécution du coup. Ce geste peut se comparer au balancier d'une pendule, si ce n'est que le backswing est légèrement plus haut que l'accompagnement, car le poids est plutôt en appui sur le pied gauche.

Après l'exécution du coup, restez immobile jusqu'à ce que la balle se soit arrêtée. Cela peut paraître étonnant, mais cette habitude vous aidera à prendre conscience de l'ampleur du mouvement nécessaire pour envoyer la balle jusqu'à une certaine distance. Le fait de conserver la même position jusqu'à l'arrêt de la balle vous donnera un bon jugement des distances et aiguisera votre mémoire musculaire. Si vous quittiez votre position trop tôt, l'exécution de votre coup ne vous apporterait aucun enseignement. Plus tard, si vous deviez jouer un coup semblable, vous n'auriez pas la mémoire de l'ampleur et de la vitesse que doit avoir votre geste pour reproduire la même trajectoire.

Le chip est un coup relativement court, mais il est très important de visualiser un résultat positif avant de le jouer. Même les coups les plus faciles joués aux abords du green nécessitent cette visualisation. N'entrez pas dans cette catégorie de joueurs qui maîtrisent parfaitement les chips difficiles, mais qui manquent les coups les plus simples parce qu'ils ne répètent pas leurs gestes et ne visualisent pas un bon résultat. Respectez tous les coups à leur juste valeur, même les plus simples, et votre balle arrivera ainsi près du trou — et pourquoi pas dedans ?

LE CHIP SIMPLE

C'est l'un des coups qui nécessitent la plus grande précision, car la balle doit arriver dans le trou, ou très près du drapeau. Un bon chip dans une telle position peut vous faire gagner un coup. Normalement, si votre balle est sur le green, à quelque distance du drapeau, deux putts sont une moyenne acceptable, mais ce n'est pas parce que la balle se trouve juste à l'extérieur du green que vous devez absolument jouer deux putts. Vous devriez être en mesure de jouer un chip simple qui amènera la balle tout près du drapeau, vous laissant un putt facile à exécuter.

La possibilité d'enquiller directement un petit chip, et le besoin de précision dont nous venons de parler provoquent souvent une certaine nervosité chez les joueurs, ce qui les conduit à effectuer un swing saccadé. De plus, comme il s'agit d'un coup «facile», tout le monde s'attend à ce que vous le réussissiez sans problème, ce qui accroît encore la pression.

Pour surmonter ces obstacles, vous devez imaginer clairement la manière dont la balle se comportera, d'abord dans l'air, puis en roulant sur le green. Cette visualisation, associée à votre routine précédant l'exécution du coup, réduira la tension que vous éprouvez, et vous permettra de vous concentrer correctement pour jouer votre coup. Tous ceux qui savent maîtriser ces chips simples s'économisent un bon nombre de coups, et peuvent battre des joueurs dont le jeu long est nettement supérieur au leur — à la grande surprise et à la profonde déception de ces derniers.

LE TRAVAIL DU CHIP SIMPLE

1. Étudiez le lie, la distance séparant la balle du point où elle devra tomber et la distance qu'elle devra parcourir en roulant jusqu'au drapeau. Ici, le drapeau est assez proche, et ce green précis est très rapide, de sorte que le club choisi sera un fer 8.

2. Placez vos mains plus bas sur le manche et en avant de la balle, votre poids étant plutôt en appui sur le pied gauche et votre stance légèrement ouvert. Effectuez quelques swings à vide jusqu'à ce que vous ayez trouvé la bonne sensation, qui vous permet de visualiser un résultat positif.

3. Placez la tête du club derrière la balle. Visez exactement votre repère intermédiaire, en vérifiant les distances qui vous séparent du point de retombée de la balle et du drapeau avant de vous placer.

4. Jouez votre coup en reproduisant exactement le mouvement de votre swing à vide, et restez parfaitement immobile *jusqu'à ce que la balle soit arrêtée*. Répétez l'ensemble de cette routine avec toutes les autres balles.

LE CHIP SIMPLE EN JEU

L'entraînement régulier a rendu votre swing si automatique que vous êtes capable, sans réfléchir, d'adapter votre mouvement à la hauteur et à la longueur nécessaires pour votre chip ; ainsi, lorsque vous vous trouvez dans une telle situation en compétition, vous n'avez plus qu'à suivre votre routine habituelle.

Ici, la balle se trouve à 3 mètres du green, et elle devra encore rouler 6 mètres pour atteindre le drapeau. Par conséquent, le chip simple que nous venons de travailler est le coup idéal dans ce cas. Bien qu'il s'agisse d'un coup « facile », vous devez, comme toujours, visualiser le résultat, et cela pourrait être difficile si vous êtes trop nonchalant, ou si le coup est très important et si vous êtes assez nerveux.

1. Examinez le lie de la balle, puis marchez le long de sa trajectoire, pour décider de la distance que la balle devra parcourir en l'air avant de retomber avec une marge suffisante pour éviter la zone de l'abord du green. Choisissez un club suffisamment ouvert pour obtenir le vol et le rouler désirés.

2. Adoptez le stance normal pour un chip et effectuez vos swings à vide, en visualisant comme toujours un résultat positif.

3. Lorsque vous avez trouvé la bonne sensation de votre mouvement, placez la tête du club derrière la balle et visez votre repère intermédiaire en regardant fréquemment le point où la balle devra retomber, de manière à visualiser parfaitement votre coup.

4. Jouez votre coup, en laissant votre club partir librement et en reproduisant exactement votre swing de préparation.

5. Restez immobile jusqu'à ce que la balle s'arrête, en savourant la satisfaction que procure un chip qui vous économisera un coup. Cela renforcera votre confiance et vous permettra de négocier ce coup avec assurance la prochaine fois que vous vous trouverez dans une situation semblable.

LE CHIP EN MONTÉE AVEC UNE PENTE DE DROITE À GAUCHE

La balle se trouve sur le rough bordant le green, à environ 2 mètres du green, et le drapeau est situé à une vingtaine de mètres, sur un green en montée qui est également en pente de droite à gauche. La balle devra voler assez bas pour acquérir une vitesse suffisante pour rouler au-delà du trou, avant de retomber doucement sur la gauche en direction de la cible. Dans ce cas, vous risquez de frapper la balle trop fort pour vous assurer qu'elle ira assez loin, au lieu de faire confiance aux possibilités de votre swing.

La démarche psychologique

Il est important d'évaluer correctement la situation, de visualiser le vol et le rouler de la balle, et de reproduire votre routine habituelle.

1. Examinez le lie de la balle et marchez jusqu'au drapeau pour bien juger la pente et la distance.

2. Choisissez votre club, en tenant compte de la distance et de la trajectoire montante de la balle. Dans ce cas, le meilleur club est le fer 4. Choisissez votre repère intermédiaire, qui, sur cette pente, devra se situer à droite du drapeau.

3. Effectuez vos swings à vide, en visualisant le rebond, le rouler et la déviation de droite à gauche de la balle. Quand vous pensez avoir trouvé le mouvement juste, adressez la balle et préparez-vous en vue du coup lui-même.

4. Exécutez votre coup, en reproduisant votre swing à vide. La balle s'élève doucement au-dessus du repère intermédiaire.

5. Ici, on voit la balle encore en l'air, avant qu'elle ne retombe à l'endroit choisi, à environ 4,50 mètres du bord du green, puis...

6. ...elle roule en montant la pente et revient vers la gauche, s'immobilisant à un mètre du drapeau. Il ne vous reste plus qu'à exécuter un putt en montée. Savourez la réussite de ce coup. Il faudra le jouer de la même manière la prochaine fois.

LE CHIP EN DESCENTE SUR UNE PENTE DE GAUCHE À DROITE

Le chip en descente peut vous effrayer quelque peu, en raison du risque de voir la balle rouler trop loin au-delà du trou.

Ici, la balle se trouve à 1,50 mètres du bord du green, en montée, le drapeau étant situé 8 mètres plus loin, sur un green en descente et

1. Après avoir choisi la trajectoire et marché jusqu'au drapeau, pour juger la distance, choisissez votre club. Ici, le joueur sélectionne le fer 7.

en pente de gauche à droite. La balle doit monter assez haut en l'air et suffisamment sur la gauche pour qu'à son rebond, elle roule doucement sur la pente, s'arrêtant juste sous le trou ; vous aurez ainsi un putt facile à exécuter, en montée.

2. Effectuez vos swings à vide, en visualisant le vol, le rebond et le rouler parfaits de la balle.

3. Placez la tête du club derrière la balle, square à la cible intermédiaire.

4. Jouez le coup en visant le repère intermédiaire, nettement à gauche du drapeau.

5. La balle est retombée au point voulu, a roulé vers le bas de la pente, en déviant de gauche à droite, pour s'arrêter juste au-delà du drapeau. Vous avez maintenant un petit putt en montée à jouer.

FRANCHIR UN TALUS

1. Pour approcher la balle du trou si le drapeau est près du bord du green, la seule solution consiste à faire sauter la balle par-dessus le petit talus qui vous sépare du green. Un chip retombant sur le green ferait rouler la balle trop loin au-delà du trou, et vous laisserait un putt trop délicat à jouer. Vous vous trouvez donc face à un problème, et la meilleure solution est alors de faire retomber la balle au sommet du petit talus en utilisant un coup rasant, semblable à un pitch ; il faut garder les mains fermes sur le manche et frapper sans hésiter. Toutes ces données vous traversent l'esprit tandis que vous vous placez derrière la balle pour choisir votre trajectoire.

La balle se trouve en contrebas du green, à 6 mètres environ du bord de ce green.

2. Procédez à votre routine de préparation comme pour un chip normal, mais choisissez un club plus long que d'ordinaire pour couvrir une telle distance.

Effectuez quelques swings à vide jusqu'à ce que vous pensiez posséder le mouvement juste pour exécuter cette frappe ferme.

3. Placez-vous à l'adresse, sans oublier de garder les mains bien fermes sur le manche et en avant de la balle.

4. Le haut de votre corps doit rester pratiquement immobile pour vous permettre une frappe solide ; frappez la balle sans l'élever beaucoup et sans hésitation, mais n'oubliez pas qu'il est préférable qu'elle s'arrête au-delà du trou plutôt que trop courte et encore dans le rough.

La balle quitte la tête de club sur une trajectoire basse et rebondit peu avant le sommet du talus, pour rouler ensuite sur le green.

La visualisation du coup et le bon alignement à l'adresse préparent une approche réussie.

CHAPITRE 5

LES COUPS D'APPROCHE

Les coups d'approche ont pour objectif de placer la balle sur le green, le plus près possible du drapeau, et sur ce type de coups, on utilise normalement les petits fers.

Les petits fers sont des *clubs de précision* et produisent leurs meilleurs résultats quand vous vous concentrez sur la précision plutôt que sur la longueur des coups. Cela pose souvent des problèmes aux joueurs de handicap moyen et élevé, qui ont tendance à choisir un club *trop court* et à rechercher la longueur, ce qui nuit à leur précision.

Les champions envoient généralement la balle plus loin que ceux dont le handicap est moyen ou trop élevé, mais on peut remarquer que lorsqu'ils jouent des approches de 115 mètres, ils utilisent un fer 7 ou un fer 8, alors que les joueurs amateurs ont tendance à opter pour le fer 9 ou les wedges, en s'efforçant de frapper la balle de toutes leurs forces, ce qui a souvent pour résultat de l'envoyer hors du green, par exemple dans un bunker.

LE PITCH HAUT ET LENT

Il s'agit ici de votre troisième coup sur un par 5. La balle est bien placée, légèrement au-dessus de vos pieds, à une quarantaine de mètres du drapeau, dont elle est séparée par l'extrémité d'un bunker. Le green lui-même s'étendant nettement sur la droite, vous pourriez jouer un chip rasant sur la droite du drapeau, ce qui vous laisserait deux putts à exécuter pour rester dans le par. En revanche, un pitch haut et bien placé pourrait vous offrir un putt facile à enquiller pour le birdie. Que faire ?

Analysez avec lucidité les chances que vous auriez en jouant un pitch qui décrirait un arc par-dessus l'extrémité du bunker et ferait retomber la balle en douceur près du drapeau. Sachant que vous êtes capable de réussir ce coup relativement simple si vous parvenez à visualiser correctement la trajectoire et si vous trouvez la bonne sensation de votre mouvement grâce à quelques swings à vide, vous optez pour le pitch. La visualisation du résultat vous placera dans un état d'esprit positif et confiant, et si vous avez tendance à vous crisper à cause de ce bunker et de la crainte de perdre votre par, relaxez-vous grâce à quelques respirations profondes et des exercices de décontraction avant de reprendre votre visualisation.

Compte tenu du lie de la balle, le choix du club ne présente pas de problème : le pitching wedge ou le sand wedge conviennent. Ces clubs sont suffisamment ouverts pour élever la balle nettement au-dessus du bunker et la faire retomber doucement sur le green, de manière à éviter qu'elle ne roule trop loin. La balle se trouve dans un bon lie, et votre seul problème est d'ordre psychologique : l'image terrible d'une frappe manquée qui ferait retomber la balle dans ce bunker.

1. Préparez-vous à effectuer vos swings à vide. Ne vous précipitez pas et faites en sorte que votre esprit soit détendu et confiant. Prenez le temps de bien ajuster votre prise. Il faut placer vos mains plus bas sur le manche, de manière à réduire l'arc de la trajectoire, et orienter légèrement vos deux mains vers la gauche pour obtenir une hauteur satisfaisante. Choisissez votre repère intermédiaire.

2. Exécutez vos swings à vide, votre poids étant plutôt en appui sur le pied droit, vos mains à la verticale de la balle, et la balle légèrement plus près de votre pied gauche. Fléchissez les poignets assez tôt sur le backswing. Pour couvrir une telle distance, un demi-swing est suffisant, et n'oubliez pas que ce coup doit surtout être joué en douceur.

LA DÉMARCHE PSYCHOLOGIQUE

C'est le genre de situation qui nécessite avant tout imagination et confiance. Imagination pour visualiser la trajectoire de la balle, et confiance (un crédit solide sur ce compte en banque que vous vous êtes forgé au cours de vos séances d'entraînement psychologique) pour pouvoir reproduire vos swings de répétition parfaits en frappant véritablement la balle.

L'expérience vous permettra de savoir quelle doit être la hauteur de votre backswing pour obtenir la distance désirée. Or, pour acquérir de l'expérience, la seule solution est l'entraînement, qui vous permettra de savoir quelle distance la balle parcourt en fonction de la hauteur de votre backswing.

Répétez plusieurs swings à vide de cette manière, afin de bien sentir l'ampleur nécessaire de votre geste. Naturellement, si vous n'êtes pas satisfait de la longueur ou de la vitesse de votre swing, répétez ce mouvement jusqu'à ce qu'il vous semble parfait.

3. Le mouvement doux et lent du club vers le bas doit se poursuivre dans la zone de frappe, la main et le bras gauches ramenant le club jusqu'à la position de l'adresse, et empêchant la face du club de se fermer trop tôt.

4. Terminez votre swing de préparation par un accompagnement prolongé. Sentez bien votre équilibre et visualisez la balle partant sur la trajectoire idéale, retombant et roulant vers le drapeau.

LE PETIT PITCH PAR-DESSUS UN BUNKER

Il s'agit d'une situation délicate, même pour un golfeur professionnel. Sur un tel coup, le problème tient au fait que vous craignez de ne pas envoyer la balle assez haut pour qu'elle franchisse le bunker. De deux choses l'une : ou vous exagérez l'ampleur de votre backswing et envoyez la balle trop loin, ou vous essayez de lever la balle et vous la frappez par-dessous ou par-dessus, ce qui entraîne un résultat catastrophique.

Il faut visualiser correctement la trajectoire en effectuant vos swings à vide. Tenez votre club assez bas, choisissez un repère intermédiaire, effectuez vos swings à vide comme d'habitude, et jugez l'ampleur nécessaire pour votre backswing. Gardez une pression ferme et constante des mains et effectuez votre swing essentiellement à partir des bras ; laissez partir le club vers le bas et frappez franchement la balle, en lui donnant l'effet de backspin qui l'immobilisera rapidement après son rebond. Tenez votre club plus bas et plus fermement, de manière à éviter les mouvements des poignets et à écourter votre backswing. Cela vous permettra de frapper la balle avec l'autorité nécessaire.

LA DÉMARCHE PSYCHOLOGIQUE

Lorsque vous devez faire passer la balle par-dessus un bunker, faites appel à tout le crédit dont vous disposez sur votre compte en banque psychologique, pour que votre imagination puisse vous permettre de visualiser correctement un coup réussi lorsque vous effectuez vos swings à vide.

N'oubliez pas qu'il faut rester pratiquement immobile jusqu'à ce que la balle soit partie. Il est tentant de lever la tête trop tôt, et c'est le risque que vous courez si vous ne visualisez pas votre coup; cela peut nuire à l'efficacité de votre frappe.

1. Le swing à vide vous permet de visualiser la trajectoire et de trouver la bonne sensation. Vos mains doivent se trouver assez bas sur le manche.

2. Le swing lui-même est, comme d'habitude, une simple répétition de votre swing à vide réussi. Ici, le backswing.

3. Alors que votre swing se termine, votre poids est en appui sur le talon gauche, le talon droit étant légèrement soulevé. La main et le bras gauches guident toujours la tête de club, comme au cours de l'élan vers le bas, de sorte que la balle a été frappée sur la trajectoire descendante du club.

LES COUPS D'APPROCHE AVEC UN FER 8 OU 9

Ici, la balle se trouve à 100 mètres du green et devra encore rouler sur 10 mètres pour atteindre le drapeau. Un petit contrebas vous sépare du green et masque une partie de terrain mort, ce qui donne toujours l'impression que la distance est plus courte. Un bunker protège le côté droit du green, mais le drapeau est nettement en arrière et le green en pente de gauche à droite, de sorte que le bunker ne devrait en aucun cas vous gêner.

Le green est surélevé, et il semble donc nécessaire d'effectuer un swing complet, avec un club suffisant pour diriger la balle nettement vers la gauche du green, à l'abri du bunker de droite, pour qu'elle roule vers le trou après son rebond.

1. Étudiez le lie et la distance qui vous sépare du drapeau. Choisissez votre club. Visualisez le vol idéal de la balle et imaginez-la rebondissant et roulant vers le drapeau.

2. Sachant la distance que vous souhaitez faire parcourir à la balle en l'air et la manière dont elle devra se comporter en retombant, vous pourrez trouver le mouvement parfait en effectuant vos swings à vide. Visualisez un résultat positif.

LA DÉMARCHE PSYCHOLOGIQUE

Bien que ce coup soit relativement rectiligne, il faut le préparer soigneusement.

Ne négligez pas la partie du terrain que vous ne voyez pas ni l'élévation du green en choisissant votre club. Un swing complet effectué avec le club approprié vous permettra non seulement d'éviter le bunker, mais aussi de poser la balle nettement sur le green.

3. Frappez la balle en reproduisant votre swing de répétition réussi.

4. Restez immobile jusqu'à ce que la balle soit partie. Ici, on la voit sur le green, roulant en descendant vers la droite, en direction du drapeau. Encore un dépôt dans votre colonne crédit !

LE COUP DE WEDGE

Cette situation particulière inquiète souvent les golfeurs, sans raison. En effet, la balle est bien posée sur le sol, et le bunker peut en réalité vous servir car, dans ce cas, il vous aide à évaluer correctement la distance et vous permet de visualiser correctement le vol de la balle. La balle se trouve à 70 mètres du trou, de sorte que si vous la frappez avec un mouvement suffisant pour franchir le bunker avec une bonne marge de sécurité, vous lui imprimerez un backspin satisfaisant qui l'immobilisera peu après son rebond.

LA DÉMARCHE PSYCHOLOGIQUE

Les joueurs redoutent souvent ce coup, car ils prévoient trop souvent un résultat négatif, voyant déjà la balle s'enterrer dans le sable. Par conséquent, la visualisation précédant le coup doit non seulement vous donner une image positive, mais également la sensation de l'ampleur idéale de votre swing.

Travaillez ce coup depuis des distances différentes, jusqu'à ce que vous possédiez les bonnes sensations concernant l'ampleur du backswing nécessaire pour envoyer la balle à de telles distances. Il s'agit de programmer votre mémoire musculaire pour qu'elle reproduise le swing correct en pareilles situations.

1. Choisissez votre repère intermédiaire et procédez à votre routine de préparation habituelle. La balle au centre du stance, le poids bien centré, les mains en avant de la balle. Effectuez des swings à vide jusqu'à ce que vous ayez trouvé le mouvement idéal pour ce coup, tout en visualisant un résultat parfait.

2. Exécutez votre coup. Votre backswing doit remonter environ jusqu'au niveau de l'épaule. En fait, le coup de wedge d'une telle distance est assez semblable au swing classique.

3. (*Ci-contre*) Laissez partir librement le swing vers le bas, de manière à frapper d'abord la balle et ensuite le sol. Ainsi, l'ouverture du club pourra accomplir tout son travail. Il ne faut pas tenter d'assister le club, car la position de la balle, votre stance à l'adresse et le mouvement de votre swing suffisent largement pour envoyer la balle à la hauteur et à la distance souhaitées.

LES PETITS FERS JUSQU'AU GREEN

Vous avez joué votre approche de 115 mètres avec votre fer 8, mais malgré une bonne frappe, la balle est retombée 18 mètres avant le green et s'est immobilisée dès son deuxième rebond, ce qui vous laisse à exécuter un chip très délicat ou un putt extrêmement long. Le swing était correct et la balle bien frappée ; dans ces conditions, pourquoi ce manque de longueur ? Il y a deux possibilités : soit vous ne connaissez pas encore parfaitement la distance que vous faites parcourir à la balle avec vos différents clubs (voir p. 67), soit vous avez mal jugé la distance. Quoi qu'il en soit, vous n'aviez pas choisi le bon club. N'oubliez pas que les petits fers sont destinés à amener la balle sur le green et à proximité du drapeau, et pas n'importe où dans les environs du green. Jouez toujours vos coups de petits fers comme si vous aviez l'intention d'enquiller la balle ; ainsi, elle arrivera près du drapeau, car ces coups ont un important effet de backspin qui immobilise rapidement la balle.

Il faut donc du courage et de l'assurance pour réussir ce type de coups.

Vous auriez dû opter pour le fer 7 sur ce coup. Conservez cette information pour améliorer votre connaissance de vos possibilités, et n'oubliez pas d'observer les distances que vous parcourez avec vos petits fers lors de votre prochain entraînement.

1. Muni de votre fer 7, vous vous placez derrière la balle, vous choisissez votre repère intermédiaire et vous visualisez un résultat positif. Sur ce coup, vous devez chercher à placer la balle sur le green et près du drapeau.

2. Le stance et l'alignement sont normaux, le poids également réparti sur les deux pieds. Vos mains et le manche du club doivent former une ligne droite, votre tête restant en arrière de la balle et votre bras droit parfaitement détendu.

3. À l'apogée du backswing, le club n'est pas tout à fait à l'horizontale, et vous pouvez voir le déplacement de votre poids sur votre pied gauche, afin de ramener la tête du club vers la balle depuis l'intérieur de la trajectoire.

LA DÉMARCHE PSYCHOLOGIQUE

Lorsque vous jouez une approche de ce genre, il est très important d'être bien conscient de vos possibilités. Améliorez votre confiance en travaillant vos coups de petits fers à l'entraînement et en notant la longueur moyenne de chacun de vos coups.

Un bon drive a amené la balle parfaitement sur le fairway, ce qui pourrait vous permettre d'atteindre le green dès votre deuxième coup sur ce trou de par 5.

CHAPITRE 6

SUR LE FAIRWAY

Il n'y a pas de bons ni de mauvais trous sur un parcours, simplement des trous qui restent à jouer. En revanche, certains trous peuvent vous poser des problèmes, simplement parce que vous les avez mal négociés dans le passé. Si vous avez fait trois doubles-bogeys d'affilée sur le même trou, vous êtes persuadé que la même mésaventure va vous arriver pour la quatrième fois, et naturellement, c'est ce qui se produit. Votre compte en banque psychologique pour ce trou particulier présente un important déficit ! Il faut le ramener à un niveau positif. Si un trou est devenu votre « bête noire », prenez plusieurs balles et négociez-le de différentes manières, un jour où le parcours n'est pas trop encombré. Essayez des clubs différents jusqu'à ce que vous ayez trouvé la bonne solution pour aborder ce trou. Les bons coups réalisés sur ce trou à l'entraînement chasseront de votre esprit les images négatives qui vous perturbaient et vous redonneront confiance. La prochaine fois que vous jouerez, ce trou sera exactement comme les autres, et votre crédit se trouvera renforcé.

Les quatre pages qui suivent montrent un trou de par 5 dont le deuxième coup peut être joué de différentes manières. Un obstacle d'eau sépare votre balle du green, et il faut choisir entre un coup de bois 3 qui pourrait vous faire franchir la rivière, ou un fer 4 qui vous laisserait un troisième coup plus long, mais peut-être plus facile à jouer pour passer cet obstacle. Le problème est compliqué par le fait que votre premier coup a placé la balle dans un lie légèrement montant et sur une pente latérale. Le lie en montée entraîne souvent un draw, tandis que la pente latérale peut provoquer un fade.

Si vous pensez que pour parcourir la distance qui vous permettra de franchir la rivière en deux coups, avec une possibilité de birdie, il faut utiliser votre driver à partir d'un tee, c'est le deuxième coup qu'il vous faut travailler. Jusqu'à présent, c'est ce coup qui vous a causé des problèmes, car vous avez presque toujours abouti dans l'eau.

En supposant que vous ayez joué votre drive normal, rendez-vous à l'endroit où la balle devrait avoir rebondi, et cherchez comment atteindre le green à partir de là. Munissez-vous de quelques balles. Puis, comme deuxième coup, jouez une série de balles avec chaque club jusqu'à ce que vous parveniez au résultat que vous pouvez espérer compte tenu de votre niveau. N'oubliez pas qu'il ne s'agit pas de réaliser des exploits, mais simplement des coups correspondant à vos capacités et à votre handicap.

L'ENTRAÎNEMENT QUI PERMET DE DOMINER CE TROU

AVEC LE BOIS 3

Pour vous assurer qu'il est possible d'atteindre le green depuis cet endroit dès votre deuxième coup, placez deux balles sur le tee et jouez-les, en notant le résultat.

Ensuite, jouez d'autres balles dans un lie médiocre avec le même club, et comparez les résultats.

Est-ce que certaines balles ont atteint le green ?

1. Placez la balle sur le tee, vérifiez votre repère intermédiaire, et visualisez la trajectoire désirée pour la balle jusqu'à la cible.

2. Placez-vous et alignez-vous comme d'habitude, en veillant à ce que la face du club soit dirigée vers le repère intermédiaire. Puis jouez votre coup et notez le résultat. Placez une autre balle sur le tee et répétez ce coup, en respectant votre routine habituelle.

Est-ce qu'elles ont toutes franchi l'obstacle d'eau avec une confortable marge de sécurité, vous laissant une approche facile à jouer ? Ou au contraire sont-elles toutes tombées dans l'eau, comme elles semblent le faire systématiquement sur ce trou maudit ? Vous établirez ainsi la longueur moyenne de vos coups, et vous prendrez mieux conscience de la situation de jeu, ce qui constitue une étape importante sur le chemin de la réussite.

Si le parcours est relativement tranquille, continuez en utilisant le fer 4, en jouant également cinq ou six balles avant l'obstacle d'eau. Puis terminez le trou, et comparez vos résultats.

3. Maintenant, depuis le même endroit, effectuez un backswing complet pour frapper la balle avec le bois 3, cette fois en plaçant la balle dans un lie médiocre, et *non* sur le tee.

4. Effectuez un swing fluide et terminez par un accompagnement complet et bien équilibré.

Répétez ce coup depuis un lie semblable et vérifiez le résultat. Notez-le dans votre carnet de golf.

L'ENTRAÎNEMENT QUI PERMET DE DOMINER CE TROU

1. Répétez votre routine de placement et d'alignement, et visualisez le vol de la balle.

2. Fin du backswing.

AVEC LE FER 4

Les résultats positifs acquis ainsi à l'entraînement sur le parcours réduiront votre tension et votre angoisse et vous permettront de mieux négocier ce trou lors de votre prochaine compétition. Vous pouvez procéder de même pour toutes les situations qui vous perturbent, par exemple le pitch par-dessus un obstacle d'eau pour amener la balle sur le green.

3. Traversée de la balle, bras libres.

4. Terminez par un accompagnement complet et parfaitement en équilibre, et savourez le résultat.

Là encore, notez les résultats de ces coups dans votre carnet.

LA DÉMARCHE PSYCHOLOGIQUE

Vous êtes maintenant plus conscient des résultats que vous pouvez espérer depuis cet endroit et avec des clubs différents. Dans ce cas, vous n'avez rien gagné en choisissant le bois 3; à l'avenir, vous opterez donc pour le club qui vous a donné le meilleur résultat, à savoir le fer 4.
Votre réussite avec le fer 4 vient s'ajouter à la colonne crédit de votre compte en banque psychologique. Finies les angoisses que ce trou vous occasionnait; désormais, vous aurez confiance en vous.

DES IDÉES CLAIRES

On dispose souvent de très peu de temps pour mettre de l'ordre dans ses idées sur un parcours. Il peut y avoir de nombreux joueurs autour de vous, ou encore les joueurs qui partagent votre partie risquent de ne pas vous laisser le temps d'analyser la situation avant de jouer. Cependant, il est essentiel d'apprendre à trouver ces quelques secondes nécessaires pour vous concentrer sur le lie de votre balle, la distance qui la sépare du drapeau, et tous les autres éléments qui influenceront votre coup. Les idées claires vous économiseront des coups. Prenons l'exemple de la situation suivante.

La balle à jouer se trouve environ à 210 mètres du green et sur une pente légèrement descendante. Les dangers sont évidents, et le plus important est un bunker situé sur la droite, 65 mètres avant le green. Sachant que vous ne pourrez pas atteindre le green sur ce coup, vous devez viser la cible qui vous offrira ensuite la solution la plus facile pour parvenir sur le green. Quelle décision prendre quant au choix du club et au type de coup à jouer?

Quelles sont vos possibilités?

1) Jouer tout droit en passant par-dessus le

1. Sachant que la pente descendante favorise le fade, vous pouvez adopter une prise de club normale et un repère intermédiaire aligné avec le centre du bunker proche du green.

2. Prêt à frapper, parfaitement aligné sur le bunker de gauche.

3. (*Ci-contre*) La balle part sur la ligne désirée, avant de dévier en fade sur la droite comme vous le vouliez, ce qui vous laisse à jouer un pitch facile avec une bonne chance de réussir un birdie.

bunker de droite. Toutefois, si vous manquez votre coup, le suivant risque d'être très délicat.

2) Jouer sur la gauche et amener la balle devant le bunker qui borde le green sur la gauche. Cette solution est meilleure, mais le drapeau est situé près du bord du green et nettement sur la droite.

Dans le cas présent vous n'avez pas beaucoup de place pour manœuvrer ici.

3) La troisième possibilité est la meilleure : un léger fade, la balle partant légèrement sur la gauche du fairway et retombant sur la droite. En ouvrant votre face de club pour contrer la pente descendante, vous donnerez de la hauteur et un léger fade à la balle. Pour franchir ce bunker, vous devrez utiliser un bois, et vous savez que votre bois 3 vous permettra d'y parvenir avec une confortable marge de sécurité. Cela vous laissera un pitch facile à jouer, avec une importante surface de green sur la gauche du drapeau, et un coup bien plus simple que le coup de wedge difficile par-dessus le bunker de gauche.

LE CHOIX DU BON CLUB :
le premier coup

Il est essentiel de choisir le bon club, et si vous pouvez apprendre à réfléchir clairement et à bien choisir, vous améliorerez vos chances de réussite. Sur les quatre pages suivantes, nous suivrons un trou depuis le départ jusqu'au green pour vous montrer les raisons pour lesquelles les différents clubs ont été choisis en fonction des coups à jouer.

Le choix du club dépend d'un certain nombre de facteurs :

1) Le niveau de votre jeu ce jour précis. Est-ce

1. Au départ du trou n° 4, le panneau vous indique qu'il s'agit d'un par 4 en dog-leg sur la droite, doté d'un bunker sur le fairway. C'est un trou de 348 mètres. Le bunker se trouve en descente, à environ 230 mètres du départ, et vous pourriez aujourd'hui l'atteindre dès votre premier drive. Pour être certain que la balle retombe avant le bunker, vous choisissez le bois 3.

2. Placez la balle sur le tee, regardez le fairway en direction de votre cible, située à une distance raisonnable du bunker. Vous êtes-vous laissé une marge de sécurité suffisante ? Êtes-vous absolument certain que vous ne risquez pas de tomber dans le bunker, même si vous frappez mieux la balle que d'habitude ?

que vous frappez bien la balle ? *N'oubliez pas que vous ne pouvez pas atteindre votre distance de frappe maximale sur chaque coup.*

2) Le lie de la balle.

3) La distance qui vous sépare de la cible, en tenant compte des conditions météorologiques et du vent.

4) Jouez-vous en montée ou en descente ?

5) Quels obstacles se trouvent sur votre chemin ?

3. Suivez votre routine de préparation habituelle, en plaçant la tête du club derrière la balle, et en visant d'abord votre repère intermédiaire.
Vous remarquerez que la balle est plus basse sur le tee que quand vous utilisez le driver.

4. Lorsque vous êtes certain de la direction et de la distance que franchira la balle, vous pouvez exécuter votre swing comme d'habitude.
(Le deuxième coup sur ce trou est évoqué page suivante.)

LE CHOIX DU BON CLUB :
le deuxième coup

Votre drive est réussi, et maintenant la balle se trouve dans un bon lie, à 140 mètres du green et à plus de 20 mètres du bunker, dont vous n'aurez plus à vous préoccuper maintenant. Cependant, le green surélevé est protégé par deux autres bunkers et le drapeau est placé nettement en arrière. Le green étant en montée, la balle devra voler un peu plus loin et plus haut.

1. Pour un tel coup, vous choisiriez normalement le fer 6, mais comme le green est surélevé et protégé par un bunker menaçant, et que le drapeau se trouve assez loin du bord du green, sans obstacle à l'arrière, vous optez pour le fer 5. Naturellement, si vous pensez que ce coup n'est pas compatible avec vos capacités, vous pouvez placer la balle en sécurité devant le bunker, de manière à vous laisser ensuite le coup le plus facile possible à jouer.

2. Dans votre routine de préparation, n'oubliez pas de penser que vous devrez jouer cette balle légèrement plus en avant dans votre stance en appuyant votre poids davantage sur votre pied droit que d'habitude. Vos mains se trouveront ainsi juste derrière la balle. Cette modification de votre position, ajoutée à un swing complet et fluide, donnera à votre balle la hauteur supplémentaire dont elle a besoin. Comme toujours, votre routine doit vous permettre de trouver la bonne sensation du coup à jouer.

3. La balle est bien partie, et lorsque vous terminez votre swing, votre poids s'est bien déplacé vers l'avant, vos mains sont hautes et votre pied droit redressé sur les orteils. Ce coup vous amène sur le green, avec une bonne chance de réussir le birdie.

4. Vous y êtes. Vos deux premiers coups n'avaient pas à être parfaits, mais le choix du bon club à chaque occasion vous a permis de gagner un coup. En utilisant ainsi vos connaissances, vous pourrez économiser bien d'autres coups à l'avenir.

LE LIE EN DESCENTE

La plupart des golfeurs sont particulièrement gênés lorsqu'ils doivent jouer une balle sur une pente descendante. Ils craignent de ne pas être capables d'élever la balle en l'air, et la panique s'installe.

Cette crainte ne se justifie pas, car avec une bonne réflexion et quelques ajustements dans le placement et l'alignement, vous pouvez dans ce cas jouer un coup tout à fait normal. Comme toujours, face à un coup inhabituel, vous devez vous souvenir de votre entraînement psychologique : relaxation, concentration et visualisation.

Tout d'abord, il faut choisir un club plus ouvert que celui que vous utiliseriez normalement pour cette distance, car depuis un tel lie, la balle aura tendance à voler plus bas et plus longtemps. Il faut frapper la balle en premier lieu et le sol ensuite, ce qui signifie que la tête du club doit suivre la pente. C'est possible si vous vous placez perpendiculairement à la pente, c'est-à-dire les épaules parallèles à l'inclinaison du sol. Cette position évitera au

1. Routine de préparation habituelle. Visualisez le vol de la balle, partant sur la *gauche* de la cible, en raison de la tendance de la balle à revenir vers la droite en fin de vol. Choisissez une cible intermédiaire. Effectuez plusieurs swings à vide jusqu'à ce que vous sentiez l'ampleur correcte du mouvement pour réussir le coup désiré.

2. Adressez la balle, vos épaules parallèles à la pente, le poids plutôt en appui sur le pied droit.

3. (*Ci-contre*) Déclenchez votre swing, vos bras partant librement en s'écartant du corps pour suivre la pente en *descendant*, et terminez bien en équilibre.

club de frotter l'herbe sur le backswing et vous permettra de frapper la balle de haut en bas, avant de heurter le sol. Gardez les épaules parallèles à la pente, et reposez votre poids plutôt sur le pied droit, de manière à éviter que votre corps ne dépasse la balle avant l'impact. Si c'était le cas, la balle partirait nettement sur la droite. Donc, haut du corps perpendiculaire à la pente, le poids plutôt sur le pied droit, visez légèrement sur la gauche pour contrer le fade qui se produit naturellement depuis un tel lie. Puis effectuez un swing normal.

LE LIE EN MONTÉE

Lorsque votre balle se trouve sur une pente montante, il faut choisir un club permettant de contrer la perte de longueur due à l'élévation plus importante qui se produit toujours depuis un tel lie. Par exemple, si la balle était posée sur un terrain plat, vous opteriez pour un fer 7, mais comme la montée la fera voler plus haut que la normale, vous choisissez un fer 5 que vous tenez légèrement plus court (comme s'il s'agissait d'un fer 7). La ligne de vos épaules doit être parallèle à la pente et votre poids en appui sur le pied gauche. Cela vous donnera une bonne coordination et vous évitera de vous appuyer trop sur le pied droit, ce qui entraînerait une frappe trop précoce et ferait dévier la balle sur la gauche.

Visez légèrement sur la droite de votre cible pour compenser le draw qui se produit toujours dans les lies en montée. Puis effectuez un swing normal.

1. Tenez compte du lie en montée avant de choisir votre club, qui devra être légèrement plus long que si la balle était sur un sol plat. Tenez-vous derrière la balle. Choisissez un repère intermédiaire, légèrement sur la droite du drapeau, et visualisez la balle partant sur la trajectoire voulue.

2. Adressez la balle en plaçant la ligne de vos épaules parallèlement à la pente et en reposant votre poids plutôt sur le pied gauche.

3. (*Ci-contre*) Utilisez un swing normal. Tous les ajustements nécessaires ont déjà été faits au cours du placement et de l'alignement.

LE LIE EN PENTE LATÉRALE :
la balle sous le niveau de vos pieds

Avec le lie en descente évoqué précédemment, ce lie est celui qui pose le plus de problèmes sur le fairway. Pourtant, là encore, il est possible d'effectuer un swing normal par petits réglages au placement et à l'alignement, et de chercher le bon équilibre et la posture idéale, ainsi qu'une bonne stabilité de la tête. Pour pouvoir toucher le sol avant la balle sur cette pente latérale, il faut vous placer plus près de la balle ; sinon, vous ne la frapperiez pas à sa base. Effectuez quelques swings à vide pour voir à quel moment votre tête de club touche le sol : la distance séparant la balle de vos pieds est moins importante que dans un lie normal.

Il faut également vous pencher en avant plus que d'habitude, mais sans perdre l'équilibre. Pour conserver une position correcte pendant toute l'exécution du coup, laissez reposer votre poids en arrière, sur vos talons, et faites ressortir votre derrière. Un swing normal joué sur un lie très en pente risque d'entraîner deux conséquences malheureuses : soit le talon du club heurtera le sol le premier, soit le mouvement de bas en haut occasionné par cette position enverra la balle nettement sur la droite ; un autre ajustement s'impose : visez sur la gauche. Cela réduira l'importance de la pente, vous permettra de frapper la balle plus franchement et compensera le fade inévitable. Après ces modifications vous pouvez jouer un swing normal.

1. Avant de vous placer, tenez-vous derrière la balle, visualisez son vol et choisissez un repère intermédiaire. N'oubliez pas que depuis un tel lie, la balle déviera vers la droite, de sorte qu'il faut viser sur la gauche de votre cible.

2. Un backswing légèrement écourté pour obtenir une frappe plus sèche, afin que la balle ne s'envole pas trop haut ni trop loin sur la droite.

Le mouvement de bas en haut occasionné par ce lie a tendance à envoyer la balle plus haut, c'est pourquoi il faut choisir un club plus long que celui qui serait nécessaire pour accomplir la même distance sur un lie plat.

LE LIE EN PENTE LATÉRALE : *la balle au-dessus du niveau de vos pieds*

La semelle du club correctement posée sur le sol, le grip se trouvera plus bas que la normale. Cela provoque un swing plus plat. Par conséquent, tenez-vous plus droit, votre poids en appui vers l'avant, sur la plante des pieds, les genoux légèrement plus fléchis que d'habitude, et visez sur la droite pour compenser le draw. Après avoir procédé à ces réglages dans votre placement et votre alignement, effectuez un swing normal. Le coup plus plat occasionné par ce lie enverra la balle moins haut, et vous en tiendrez compte poure choisir votre club.

1. Début du backswing. Le stance est vers la droite de la cible, les genoux légèrement fléchis, le corps est plus droit que d'habitude.

2. La balle est partie vers la droite de la cible et forme une longue ligne blanche en direction du côté droit du bunker, avant de revenir vers la gauche pour retomber sur le green.

LES LONGS FERS

Ce sont les clubs qui semblent les moins appropriés pour donner de la hauteur à la balle et l'envoyer très loin, car leur long manche et leur lame fine, très peu ouverte, n'inspirent pas confiance. Cela provoque une crispation chez les joueurs qui manquent d'assurance, d'abord des mains, puis des bras et des épaules. Les résultats sont toujours négatifs : le backswing devient trop rapide et a tendance à s'écourter (dans le cas contraire, le joueur « perdrait » son club sur le backswing) ; la vitesse de la tête de club est ralentie par une utilisation excessive des épaules, de sorte que le joueur a tendance à « se jeter » sur la balle pour compenser le manque d'accélération de la tête de club.

Si le rythme a une importance en golf, c'est vraiment sur ces coups de longs fers. Le rythme s'acquiert à l'entraînement, quand vous répétez votre routine habituelle et quand vous décochez votre coup exactement de la même

LA DÉMARCHE PSYCHOLOGIQUE

Vous avez établi la longueur moyenne de vos coups, et vous savez donc à quelle distance vous pouvez envoyer la balle avec chaque club. Par conséquent, laissez le club se charger du travail, en effectuant un swing normal et sans crispation. La confiance ainsi acquise vous sera très utile à l'avenir. En effet, la confiance génère toujours plus de confiance, ce qui mène toujours à la réussite.

1. Au cours de cette préparation précédant le coup, il est important de créer une bonne extension en déplaçant le club d'arrière en avant, de manière à laisser les bras se détacher librement du corps. Ce mini-swing, exécuté avant de frapper la balle, permet de réduire la tension, et par conséquent de manier le club avec le mouvement fluide et correct des bras qui est indispensable sur les coups de longs fers.

2. Choisissez un repère intermédiaire et placez la tête du club derrière la balle.

3. Suivez votre routine habituelle de placement et d'alignement. Votre poids doit être légèrement décalé vers la droite, et vos mains former une ligne droite avec le manche du club ; préparez-vous à ramener le club en arrière de la balle dans un geste fluide et bien rythmé.

manière qu'avec les fers plus courts.

Si vous éprouvez des difficultés avec les coups de longs fers sur le parcours, imaginez que vous utilisez un bois très ouvert. Le maniement fluide du bois 3, 4 ou 5 favorise le bon rythme indispensable avec les longs fers. En utilisant le long fer avec le même rythme que s'il s'agissait d'un bois ouvert, vous parviendrez à vous détendre et prendre confiance en votre coup. Tant que vous n'aurez pas trouvé la bonne stabilité avec vos longs fers, l'achat d'un bois 5 ou 7 constituera un investissement utile.

Il est déconseillé d'effectuer des swings de répétition complets avant de jouer les longs coups. Il faut en effet un certain temps aux muscles pour retrouver leur niveau de tension normal après un swing complet. Des demi-swings lents et décontractés vous permettront de trouver le mouvement juste, les bonnes sensations et le rythme idéal.

4. Le fait d'envoyer les bras sans retenue en arrière pour un backswing complet vous permettra de faire pivoter les épaules correctement pour trouver le bon rythme sur les coups de longs fers. N'oubliez pas de terminer votre backswing avant d'élancer le club vers le bas.

5. La balle a été frappée et les bras sont passés dans la zone de frappe. Le poids s'est déplacé du pied droit vers le talon gauche, tandis que le poids de la tête de club ramène le côté droit du corps dans le coup, et vous terminez par un accompagnement complet et libéré.

JOUER DEPUIS UNE MARQUE DE DIVOT

Cette situation se produit assez fréquemment : un drive qui vous semblait devoir être parfait est détruit parce qu'un petit malin a oublié de replacer un divot, et votre balle s'enterre sur place. Toutefois, cet incident n'aura un effet négatif sur votre score que si vous vous laissez atteindre moralement. C'est un défi comme un autre, et c'est ce qui rend le golf si fascinant. Ne considérez pas cela comme un manque de chance, en vous énervant contre celui qui a oublié d'effacer le divot, car cela nuirait à votre lucidité. Pensez plutôt à la situation présente, et à la manière dont vous allez régler ce problème.

Replacez toujours vos divots. Même si vous savez négocier ce type de coups, il n'en est peut-être pas de même pour les golfeurs qui vous suivent !

1. Est-il possible que ma balle se trouve ici après un drive aussi bon ?

2. Choisissez un club plus ouvert que ne l'exige la distance. Jouez la balle en arrière de votre stance, votre poids étant plutôt en appui sur le pied gauche, et visez votre repère intermédiaire, qui, dans ce cas, doit se situer légèrement sur la droite de la cible visée.

LA DÉMARCHE PSYCHOLOGIQUE

L'aptitude à faire face à une telle situation dépend de votre capacité d'accepter cette position de la balle sans vous énerver. Considérez ce coup comme un défi intéressant. Utilisez votre bon sens et votre imagination comme vous en avez l'habitude. Travaillez ce coup, et vous constaterez qu'il n'est pas si difficile.

Vos mains en avant de la balle et votre poids sur votre pied gauche réduiront l'ouverture du club, de sorte que la balle s'envolera moins haut et roulera plus longtemps que d'habitude. Le backswing écourté et le mouvement solide des bras pour propulser la balle hors de ce lie la feront voler assez bas, et comme pour tous les coups bas frappés correctement, ils la feront dévier vers la gauche. Par conséquent, votre repère intermédiaire doit se situer sur la droite pour compenser cette tendance. Comme toujours, seul un entraînement intelligent au practice pourra vous permettre de savoir à quel point il faut viser sur la droite.

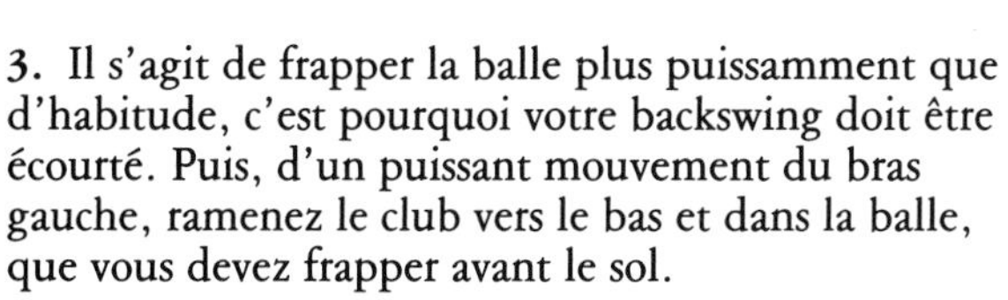

3. Il s'agit de frapper la balle plus puissamment que d'habitude, c'est pourquoi votre backswing doit être écourté. Puis, d'un puissant mouvement du bras gauche, ramenez le club vers le bas et dans la balle, que vous devez frapper avant le sol.

4. Quand vous terminez votre swing, votre poids doit s'être déplacé vers l'avant, sur votre pied gauche, vos hanches ayant pivoté vers la gauche, le manche du club pointé vers la cible et la pointe du club vers le ciel. Cette position vous permet d'être certain que vous avez joué le coup avec vos bras, et non vos mains, ce qui évite un pivot prématuré de la face du club vers la gauche, et vous permet de ne pas frapper le sol avant la balle.

LES COUPS DE BOIS AVEC DRAW

La balle se trouve sur le fairway, à 210 mètres du green. Le bunker placé juste devant ne devrait pas vous poser de problème, mais il risque de vous impressionner et de vous pousser à lever la tête trop tôt après l'exécution de votre coup, pour voir votre résultat. Plus votre tête est stable, plus votre frappe sera bonne, et votre balle franchira ainsi le bunker sans difficulté. Par conséquent, ne pensez plus à ce bunker.

Sur un tel coup, la cible visée constitue l'élément le plus important. Votre meilleur choix ici est un draw (la balle partant légèrement sur la droite pour revenir vers le centre en fin de vol) ; cela vous permettra d'obtenir une plus grande longueur. La face du club est légèrement fermée pour créer cet effet de draw, de sorte que vous transformez virtuellement votre bois 4 en un bois 3, envoyant donc la balle moins haut, et la faisant rouler davantage et plus loin.

1. La cible est particulièrement importante, de sorte qu'il faut passer un peu plus de temps à prévoir la trajectoire de la balle. Tenez-vous derrière la balle et choisissez votre repère intermédiaire, non pas sur la ligne directe du drapeau, mais légèrement sur la droite.

2. Suivez votre routine habituelle de placement et d'alignement, en veillant à ce que votre face de club soit square par rapport au repère intermédiaire et vos mains légèrement tournées vers la droite, tenant le manche du club sans crispation.

LA DÉMARCHE PSYCHOLOGIQUE

Vos séances d'entraînement vous ont appris que la modification de la position des mains et de leur pression provoquent un draw.

Par conséquent, vous pouvez viser en confiance un point situé sur la droite depuis cette position, laissant votre swing se dérouler naturellement, et vous n'aurez plus qu'à apprécier votre aptitude à faire dévier la balle en l'air à volonté. Un nouveau dépôt sur votre compte en banque psychologique...

3. La face du club, le stance et le corps sont maintenant alignés vers la droite du drapeau.

4. En raison de la modification de votre prise, la face du club s'est fermée un peu plus tôt, frappant la balle plus bas et la faisant dévier vers la gauche en fin de vol. La balle est passée assez bas au-dessus du bunker situé à droite de la cible, puis elle est revenue vers la gauche, est retombée et a roulé pour s'immobiliser sur le green.

LES COUPS DE BOIS AVEC FADE

Ici, la balle est retombée sur la droite du fairway, à presque 275 mètres du drapeau. Après un examen minutieux du lie de la balle et de votre cible, vous décidez qu'un coup de bois avec fade sera nécessaire pour vous offrir un troisième coup facile jusqu'au green. Pour jouer en fade, il faut ouvrir légèrement la face du club, de sorte qu'il convient de resserrer votre pression sur le club et de déplacer vos mains légèrement vers la gauche sur le manche. La balle déviera, c'est pourquoi votre repère intermédiaire, votre alignement et votre stance doivent être orientés légèrement sur la gauche de la cible réelle.

1. La tête du club derrière la balle, face du club square par rapport au repère intermédiaire, qui se trouve sur la gauche de la cible elle-même.

2. Le club entame sa descente, le bras gauche le tirant puissamment vers la balle.

Choisissez donc avec soin la zone que vous visez, afin de vous assurer un troisième coup plus facile, de préférence dans un bon lie et sans bunkers entre vous et le green.

Tenez compte de cette déviation de gauche à droite quand vous visez, tout étant aligné à gauche de la cible : le repère intermédiaire, la tête de club, vos pieds et tout le reste de votre corps. Même dans un lie médiocre, le club à utiliser est le bois 3 dont la tête sera légèrement ouverte. En effet, les bois plus ouverts ont tendance à réduire l'effet de fade. (Gardez cela en mémoire pour les situations où vous aurez une zone hors limites sur la droite du fairway.)

3. Juste après l'impact, la hanche gauche se dégage pour permettre au bras gauche de poursuivre sur sa lancée.

4. À la fin du mouvement, les hanches et les épaules ont encore tourné vers la gauche et sont légèrement plus basses que d'habitude. La balle est partie sur la gauche, avant de dévier vers la droite, et elle est retombée dans la zone visée.

LE COUP LONG ET ROULANT

Le coup long et roulant est particulièrement utile quand vous avez du mal à distinguer le bord du green, sa profondeur et l'emplacement du drapeau. Il peut également servir lorsque le sol est très dur et quand il y a un petit talus ou une bosse devant le green. La balle volera assez bas, rebondira devant le green, puis sautera par-dessus le petit talus et roulera sur le green lui-même. C'est un coup excellent quand la balle est dans un mauvais lie, et s'il est difficile de juger de la distance qu'elle franchira en l'air avant de retomber.

1. Voici le geste d'accompagnement après un swing d'entraînement destiné à propulser la balle à 65 mètres. Le poids est sur le pied gauche, et le haut du corps est stable. Les bras et les mains sont détendus.

2. Position d'adresse. Le repère intermédiaire est choisi, le poids est plutôt sur le pied gauche, la balle au centre du stance et les mains à la verticale de la balle. Vous avez opté pour un fer 6. Visualisez le vol de la balle, son rebond et son rouler.

3. (*Ci-contre*) La balle a été frappée, mains et poids nettement vers l'avant, le club se fermant pour créer un minimum de backspin. La balle s'élève peu et vole sur 45 mètres pour rebondir sur le talus et rouler vers la cible.

LA DÉMARCHE PSYCHOLOGIQUE

Comme toujours, la visualisation du résultat est importante sur ce coup, ainsi que la bonne sensation et la conscience du fait que la balle rebondira et roulera librement en raison du choix du club et du mouvement de frappe très détendu.

Les coups joués dans le sable peuvent être plus faciles que vous ne le croyez.

CHAPITRE 7

LES SORTIES DE BUNKER

Le sand-wedge (ou club pour bunker) est différent des autres dans la mesure où, lorsqu'on le tient droit et la face square, l'arrière du socle repose sur le sol, alors que l'arête antérieure de cette face est légèrement surélevée. Le coup de sand-wedge déplace le sable et le comprime derrière la balle, de sorte que le sable et la balle sont propulsés en l'air. La constitution particulière de la lame de ce club a pour but d'éviter que le club ne s'enfonce dans le sable et s'immobilise. Plus vous ouvrez ce club, plus son socle s'abaisse, et moins vous risquez de vous fixer dans le sable.

Plus le lie est bon, plus vous ouvrirez la face du club. Au contraire, plus la balle est enfoncée dans le sable, plus il faut fermer la face du club, afin que son arête antérieure pénètre plus profondément dans le sable sous la balle.

On notera que dans ce cas, la tête du club est freinée par le sable, mais le sable qui est ainsi déplacé possède une force suffisante pour propulser la balle en l'air.

Le sable : problème ou pas problème ?

Nous avons tous entendu dire que les coups joués dans les bunkers sont les plus faciles qui soient, car c'est la seule situation dans laquelle on n'a pas à frapper la balle elle-même. Quelle que soit la part de vérité de ce vieux dicton du golf, nombreux sont les joueurs qui pensent que tomber dans un bunker est l'une des plus désagréables mésaventures qui puisse leur arriver. C'est la situation cauchemardesque qui désintègre complètement leur jeu. Ils s'imaginent maniant leur club dans le bunker et soulevant une tonne de sable sans faire bouger la balle de plus d'un mètre, avant qu'elle ne s'enfonce dans le sable encore plus profondément. Il n'est pourtant pas très difficile de jouer correctement depuis un bunker, si vous comprenez les raisons pour lesquelles le club est construit ainsi et ce qui se produit au cours du swing. Cette connaissance, ajoutée à une solide expérience des coups dans les bunkers, vous permettra de renforcer votre confiance, de sorte que la prochaine fois qu'une de vos balles tombera dans le sable, vous ne penserez pas que c'est la fin du monde.

La face du club

La plupart des bons golfeurs ouvrent leur club vers la droite du drapeau de la même distance qu'ils se tiennent sur la gauche de la cible. Lorsque vous vous placez et vous alignez pour jouer un coup dans le sable, dans un bon lie, la balle doit être à l'alignement de votre pied gauche, les mains à la verticale ou légèrement en avant de la balle et le club légèrement ouvert.

Très important ! Ouvrez la face du club avant d'assurer votre prise. Dans le cas contraire, la face du club reprendrait sa position normale à l'impact.

Quand vous adressez la balle avec une face de club ouverte, veillez à ce que le talon du club ne se trouve pas trop près de la balle, car vous risqueriez alors de la frapper au niveau de la jonction entre le manche et la lame. Pour éviter cela, placez-vous de manière que la balle soit plutôt au niveau de la pointe du club.

Le swing

Le swing pour un coup classique dans un bunker nécessite un mouvement détendu et libéré des bras, qui ramène le club vers la balle, le club heurtant le sable dont le poids projette la balle hors du bunker, et sur le green. Si la balle se trouve dans un bon lie, vous pouvez ouvrir votre club, de manière à abaisser le socle pour éviter que le club ne s'enfonce trop profondément dans le sable. En revanche, si la balle est plantée plus loin dans le sable, la face du club devra être moins ouverte.

Si la balle est complètement enterrée, il faut fermer la face du club, de manière que son arête antérieure plonge dans le sable et fasse sortir la balle. Le swing est alors différent de celui que vous employez dans un bon lie (ce mouvement parfaitement fluide et libéré des bras) : ici, les poignets doivent se casser plus brusquement sur le backswing et l'angle d'approche du club est bien plus accentué, l'arête antérieure de la lame plongeant dans le sable juste derrière la balle. Comme il est interdit de toucher le sol du club avant de jouer quand on est dans un obstacle, la seule manière de sentir la texture du sable est d'utiliser vos pieds, lorsque vous marchez dans le bunker et allez vous placer.

Lies, stances et swings dans le bunker

LIE	STANCE	SWING
Bon	Balle alignée sur l'intérieur du pied gauche; pieds, hanches et épaules pointés vers la gauche autant que le club est ouvert sur la droite; poids également réparti sur les deux pieds.	Libéré, détendu, en cassant les poignets assez tôt. Accompagnement complet. Prise légère.
Balle à demi-enterrée	Balle à l'alignement du talon gauche, club et pieds square par rapport à la cible. Poids plutôt sur le pied gauche.	Libéré, poignets cassés plus tôt que précédemment. Prise plus ferme.
Balle enterrée	Balle plutôt vers l'arrière du stance, club fermé, pieds, hanches et épaules pointés vers la droite autant que le club est fermé sur la gauche. Poids sur le pied gauche.	Prise ferme et résolue, poignets cassés tôt, mouvement vif de haut en bas, la main droite poussant le club dans le sable. Pas d'accompagnement.

Un coup correctement exécuté dans le sable, joué dans un bon lie dans un bunker situé au bord du green et dont le bord est élevé.

BUNKER AU BORD DU GREEN :
depuis un bon lie

La balle est bien posée dans le bunker, à environ 3 mètres du bord, qui n'est surélevé que d'un mètre. Il faut visualiser la trajectoire de la balle sans exécuter de swing à vide, car le règlement vous interdit de poser votre club sur le sol dans un bunker. Par conséquent, faites quelques swings de répétition en dehors du bunker, de manière à trouver la bonne sensation du coup à jouer.

Le sable est sec, mais assez compact. Un mouvement assez ample des bras vous permettra de jouer ce coup avec décontraction, ce qui est particulièrement important sur ce type de sorties de bunkers proche des greens.

1. Alignez vos pieds et votre corps sur la gauche du drapeau et tenez votre club de manière que la face du club soit ouverte (pointée vers la droite du drapeau). L'ouverture de la face du club vous permettra d'être certain que le socle de la lame heurtera le sable. Votre poids bien réparti entre les deux pieds et la balle à l'alignement de l'intérieur de votre pied gauche, vos mains en avant de la balle, tenez votre club légèrement et un peu plus bas qu'à l'habitude. Adressez la balle au niveau de la pointe du club, la tête du club se trouvant au-dessus du sable et derrière la balle.

Visualisez le coup que vous allez jouer : la tête du club plongeant dans le sable, la balle sautant par-dessus le bord du bunker, retombant sur le green et roulant vers le drapeau.

2. Cassez vos poignets assez tôt pour que votre backswing soit accentué. En ramenant le club vers la balle, veillez à ce que votre bras et votre côté gauches entraînent le club vers le sable.

LA DÉMARCHE PSYCHOLOGIQUE

Si vous êtes furieux contre vous-même parce que vous êtes tombé dans le bunker et inquiet quant à la manière d'en sortir, vous risquez de vous crisper et d'être incapable d'exécuter un swing correct. Si vous serrez trop votre club, vous perdrez votre rythme (votre backswing sera écourté et précipité), ce qui entraînera une nouvelle erreur, en jetant violemment le club à la rencontre de la balle. Il ne vous reste plus alors qu'à espérer que la force pure pourra se charger de la tâche, au lieu du bon sens, de la conscience et de l'assurance. Hélas, cela ne se produira pas. Ici, votre banquier psychologique vous refusera le prêt.

Si cette situation éprouve vos nerfs et est responsable de vos échecs, travaillez ce coup le plus souvent possible. Apprenez à considérer le sable comme un allié, et aussi à quelle hauteur et à quelle distance la balle s'envole selon l'ouverture de votre face de club. Les connaissances techniques et l'entraînement vous apporteront la confiance.

3. Frappez la balle, le socle du club heurtant le sable, et poursuivez par un accompagnement haut et sans précipitation.

BUNKER EN BORD DE GREEN :
la balle enterrée

Il n'y a aucune raison de vous paniquer quand vous vous trouvez dans un tel lie. L'essentiel est de se souvenir que c'est le club, et non vous, qui se chargera du travail. Lorsque la balle est enterrée ainsi, il est inutile d'ouvrir la face du club, car dans ce cas, le club rebondirait simplement sur la balle, en la frappant par-dessus. Vous devez tenir votre club un peu plus fermement que d'habitude, pour les sorties de bunker, de manière à empêcher le sable de stopper votre club trop tôt. De même, le fait que la descente du club vers la balle soit verticale signifie qu'il n'y aura pas trop de sable entre la face du club et la balle, qui volera ainsi plus bas et plus loin, et roulera plus que d'habitude ; il n'est donc pas nécessaire d'accélérer le backswing et la tête du club autant que vous l'imaginiez.

1. Ici, on voit la position de la balle, près du pied droit, la face du club fermée et la pointe du club dirigée plutôt vers la balle, les mains se trouvant légèrement décalées vers la gauche.

2. Les poignets se cassent franchement sur le backswing, et le corps ne bouge pratiquement pas. Au sommet du backswing, les mains se trouvent à la hauteur de la poitrine.

3. Lorsque le club descend vers la balle, la main droite pousse la lame du club profondément dans le sol, de manière à frapper le sable le plus près possible derrière la balle.

4. Immédiatement après l'impact, la main droite a poussé le club à travers le sable.

5. (*Ci-contre*) L'accompagnement se termine, la tête de club toujours fermée, et la balle quitte le sable sur une trajectoire basse et légèrement sur la droite du drapeau, roulant beaucoup plus vite que vous ne l'aviez prévu. Notez l'alignement du corps.

BUNKER EN BORD DE GREEN:
le coup haut dans du sable mou

Quand vous jouez dans du sable mou, vous devez utiliser un mouvement des bras suffisant pour contrer l'effet d'amortisseur du sable, qui risque de stopper le club brusquement, de sorte que la balle ne pourrait pas s'élever et quitter le bunker.

Ce n'est pas une raison pour écourter votre backswing et accélérer votre coup. En fait, il faut procéder de la manière inverse : prolongez votre swing et ralentissez son rythme. Le swing plus long traversera le sable, et le rythme plus lent vous donnera la bonne profondeur dans le sable et n'enverra pas la balle trop loin. N'essayez pas d'aider la balle à monter : laissez le club et votre swing s'en charger.

Effectuez vos swings à vide à l'extérieur du bunker. Concentrez-vous sur le bon rythme du mouvement qui doit vous permettre de *voir* un vol réussi de la balle qui roulera ensuite vers le drapeau.

1. Votre poids plutôt sur le pied droit, la face du club nettement ouverte et pointée vers la droite de la cible, et le corps aligné sur la gauche de manière à obtenir une trajectoire légèrement extérieure à intérieure par rapport au drapeau, tenez votre club sans le serrer et placez vos mains à la verticale de la balle.

2. Sur le backswing, vos bras doivent remonter jusqu'à la hauteur de vos épaules, les poignets jouant un rôle considérable.

3. Le mouvement vers le bas doit se faire en souplesse, le bras et la hanche gauches tirant le club vers le sol pour frapper le sable à la distance parfaite derrière la balle enterrée.

4. Le swing se poursuit par un accompagnement très haut, et le sable comprimé soulève la balle par-dessus le bord du bunker, pour la faire retomber doucement sur le green.

LA DÉMARCHE PSYCHOLOGIQUE

Il est important de connaître le comportement des différents types de sable pour jouer dans un lie de ce genre. Le swing libéré et complet crée un mouvement qui aurait envoyé la balle deux fois plus loin si vous l'aviez exécuté dans l'herbe.

BUNKER EN BORD DE GREEN : *le petit coup dans du sable dur*

La balle se trouve sur du sable dur, et un talus assez bas la sépare du trou, situé à 6 mètres du bord du green. Vous pouvez utiliser le pitching wedge ou le sand-wedge dans cette situation. Le sable très ferme n'affectera pas le club, si ce n'est en le faisant rebondir — à tel point que vous risqueriez de frapper la balle par-dessus, c'est pourquoi il faut procéder, en toute connaissance de cause, à quelques modifications dans votre placement et votre alignement.

La balle doit être bien centrée entre vos pieds, votre poids également réparti. Votre stance étant square par rapport au drapeau, tenez votre club fermement de vos deux mains, mais en exerçant une pression légèrement plus forte des doigts de la main gauche, vos mains se trouvant directement à la verticale de la balle.

1. Le backswing est terminé : les bras sont à la hauteur de la poitrine et les poignets complètement cassés.

2. L'élan vers le bas est obtenu en tirant le club vers le sol à l'aide du bras gauche, la main droite donnant un coup de fouet sous le bras gauche tendu. Le genou droit suit le swing jusqu'à la position montrée ici, la main et le bras gauches stoppant le club avant qu'il n'arrive sur un plan parallèle au sol. Cela donnera à la balle un backspin considérable, qui l'immobilisera très rapidement après son rebond, de manière qu'elle ne roule pas trop loin au-delà du drapeau.

3. N'oubliez pas de ratisser le sable après votre passage !

LA SORTIE DE BUNKER SUR LE FAIRWAY

Tous les bunkers ne sont pas situés autour du green. Les bunkers de fairway, placés à une bonne distance du drapeau, nécessitent une technique différente et une tout autre attitude psychologique. Votre première réaction est de chercher à envoyer la balle le plus loin possible en la sortant de cet obstacle, car vous avez encore une distance appréciable à parcourir pour atteindre le green. Pourtant, dans certains cas, le lie de la balle ne vous laisse pas le choix : vous devez utiliser votre sand-wedge, parfois même dans une direction différente de celle du drapeau.

Comme toujours, la routine est très importante ici, et il faut posséder une bonne imagination, doublée d'une grande confiance.

Le choix du club

Pour jouer une sortie de bunker à une telle distance, qui peut aller jusqu'à 130 mètres du drapeau, il est primordial de choisir un club qui pourra vous faire franchir le bord du bunker et envoyer la balle à la distance voulue. Si la balle se trouve dans un bon lie, choisissez un club qui vous permettra de frapper d'abord la balle et ensuite le sable.

Compte tenu de la distance à parcourir, si vous frappiez le sol avant la balle, vous réduiriez l'élan de votre swing, et votre coup manquerait de longueur.

Le placement et l'alignement

Vous aurez plus de chances de frapper la balle avant le sol si elle se trouve légèrement en arrière de votre stance et si vos mains sont un peu en avant de la balle, votre poids étant plutôt en appui sur le pied gauche. Le club choisi doit être suffisamment ouvert — n'oubliez pas que la position des mains en avant de la balle réduit l'ouverture du club — pour lever la balle par-dessus le bord du bunker. Il arrive trop souvent qu'une sortie de bunker bien frappée parte trop bas, de sorte que la balle heurte le bord du bunker et roule dans le sable, simplement parce que le club choisi était insuffisamment ouvert.

Comme pour toutes les sorties de bunker, veillez à ce que vos pieds soient bien enfoncés dans le sable et votre pied droit légèrement tourné, pour ne pas risquer de déplacer vos pieds au cours du backswing, ce qui anéantirait l'efficacité de votre coup.

Une sortie de bunker de 80 mètres.

SORTIE DE BUNKER SUR LE FAIRWAY :
le coup de fer

La balle est dans un bon lie et le bunker n'est pas trop profond, de sorte que vous n'avez pas besoin d'un club très ouvert pour franchir le bord de l'obstacle. Cependant, n'oubliez pas que la position de vos mains en avant de la balle a tendance à fermer la face du club ; il faudra donc choisir un club plus ouvert que vous ne le pensiez nécessaire. Si, par exemple, vous pensez qu'un fer 6 vous permettrait de franchir le bord du bunker et d'envoyer la balle à la distance voulue, optez pour un fer 7, car en plaçant vos mains en avant de la balle, vous réduirez son ouverture à celle d'un fer 6.

Le fait de placer votre poids sur votre pied gauche et vos mains en avant de la balle fera légèrement dévier la balle de gauche à droite pendant son vol. Il faut en tenir compte en vous alignant sur votre cible. Alignez-vous légèrement à gauche de cette cible pour permettre à la balle de dévier de gauche à droite et de s'immobiliser rapidement, sans rouler trop longtemps.

LA DÉMARCHE PSYCHOLOGIQUE

Si vous ne vous entraînez pas suffisamment dans les bunkers, et notamment dans les bunkers situés sur le fairway, vous manquerez d'expérience et cela nuira à votre confiance au moment de jouer ce type de coups. Ces expériences positives et régulières sont nécessaires sur les sorties de bunker; ce sont des dépôts précieux sur votre compte en banque psychologique.

Dans un bunker, il est important d'établir correctement vos priorités. La première est de sortir la balle du bunker. La deuxième consiste à faciliter votre coup suivant. La troisième est de trouver la direction et la distance idéales.

1. Vos swings à vide sont effectués à l'extérieur du bunker. Ayant examiné le lie de la balle et choisi votre club, effectuez ces swings en vous alignant sur la cible. Renforcez votre confiance en visualisant un résultat positif pour votre swing de répétition, qui vous donnera la bonne sensation de l'ampleur du mouvement.

2. Dans le bunker. Le lie étant bon, la face du club doit être légèrement ouverte. Déplacez votre poids vers votre pied gauche et placez vos mains en avant de la balle. Ce stance permet également un backswing plus vertical, qui accroît vos chances de frapper la balle *avant* le sable, et c'est un point essentiel pour les longues sorties de bunker.

3. La photo est la même que la précédente, prise cette fois de côté, pour montrer la position de la balle : au centre du stance et en arrière des mains.

4. Juste après la frappe. La balle a été frappée avant le sable, le poids est presque totalement en appui sur le pied gauche.

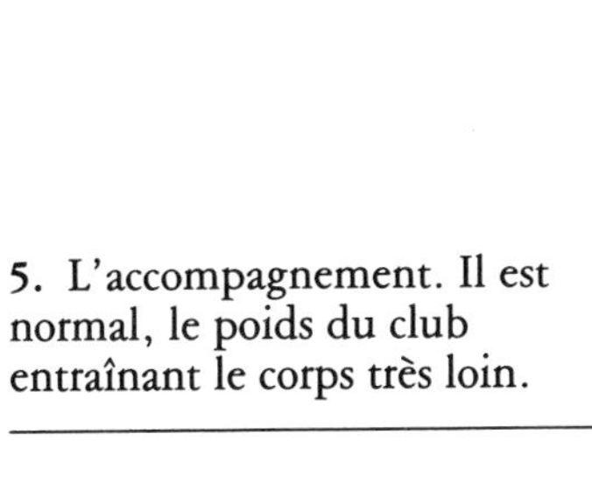

5. L'accompagnement. Il est normal, le poids du club entraînant le corps très loin.

LE BUNKER SUR LE FAIRWAY: le coup de bois

Rien ne s'oppose à ce que vous utilisiez un bois pour jouer une longue sortie de bunker sur le fairway, si la balle se trouve dans un bon lie et si le bunker n'est pas profond.

Les clubs longs produisent moins de backspin que les clubs plus courts, de sorte que le moindre effet latéral a tendance à s'amplifier avec ces clubs ; par conséquent, quand vous utilisez un bois pour une sortie de bunker et quand vous ouvrez la face du club, la balle risque de beaucoup dévier au cours de son vol. Il faut donc viser un point situé nettement à gauche de la cible elle-même.

Le mouvement du swing est semblable à celui d'un swing classique que vous utiliseriez sur le fairway. Il faut un bon équilibre, et surtout un rythme fluide, pour obtenir une bonne frappe de balle.

En découvrant que votre premier coup a envoyé la balle dans un bunker, il est normal que vous soyez ennuyé et un peu inquiet. Votre bon sens et votre confiance en vos capacités à jouer le meilleur coup possible peuvent cependant vous éviter de perdre un coup sur cette erreur. Ne cherchez pas systématiquement à envoyer votre balle le plus loin possible, mais choisissez une cible réaliste que vous savez pouvoir atteindre. L'état du sable, le lie de la balle et la hauteur du bord du bunker vous indiqueront quel club et quel coup choisir.

LA DÉMARCHE PSYCHOLOGIQUE

Cela peut être synonyme d'ennuis, mais si vous êtes bien préparé psychologiquement et techniquement, vous vous sortirez facilement de cette situation.

1. La balle est dans un bon lie, au milieu du bunker, qui n'est pas très profond. Le sable est ferme. Choisissez votre cible et votre club. Dans ce cas, le club choisi est un bois 3.

2. Placement et alignement. La balle en arrière du stance et l'ensemble pointé vers la gauche. Face du club ouverte pour faire rebondir la semelle du club sur le stable, empêchant l'arête antérieure de s'enfoncer et de s'immobiliser brusquement.

3. La balle est frappée et bien partie sur la gauche, avant de dévier pour revenir vers le fairway. Les bras sont détendus et libérés et exécutent un accompagnement complet.

Vous avez relevé un défi du golf : la balle est bien sortie du rough.

CHAPITRE 8

DANS LE ROUGH

Il est assez normal d'envoyer la balle dans le rough de temps à autre. Il faut y être préparé, et apprendre à maîtriser cette situation comme toutes les autres situations de jeu. La plupart des golfeurs s'énervent quand ils tombent dans le rough, au point que l'ensemble de leur jeu se désintègre. Votre attitude psychologique est très importante ici, et il faut faire appel à toute la force mentale que vous avez acquise lors de vos séances d'entraînement psychologique.

Examinez le lie

La balle est-elle jouable ? Si ce n'est pas le cas, observez les règles et droppez-la avec un point de pénalité, ou encore repartez au départ et rejouez le coup, en perdant à la fois le point et la distance parcourue. N'oubliez pas que la situation pourrait être bien pire si vous vouliez tenter l'impossible. Votre coup impossible risquerait de vous plonger dans des problèmes plus graves, d'autres coups venant s'ajouter à votre score, tandis que vous avanceriez péniblement, mètre par mètre.

Si la balle est jouable, considérez les possibilités qui s'offrent à vous. Le chemin le plus court pour atteindre le green peut passer par un coup joué dans la direction opposée, mais cela peut aussi vous offrir un coup suivant plus facile, et vous donner ainsi l'occasion d'économiser un coup.

Pas de regrets !

Tout d'abord, acceptez le fait que vous êtes tombé dans le rough, et ne sombrez pas dans des crises de rage en vous accusant de tous les maux. Puis, commencez à chercher, et quand vous aurez trouvé la balle, assurez-vous qu'il s'agit bien de la vôtre. Reportez ensuite toute votre concentration sur le coup que vous allez devoir jouer.

Le mauvais lie

Si la balle est enfoncée dans l'herbe, la seule manière de la frapper correctement consiste à jouer en laissant le moins d'herbe possible entre la balle et la face du club. Décalez votre poids vers la gauche, en ouvrant la face du club, cassez vos poignets plus tôt que d'habitude et laissez vos mains guider le club à l'impact. Ainsi, la descente du club vers la balle sera plus verticale, et la balle sautera hors de l'herbe et retombera sur le fairway. La balle étant profondément enfoncée, votre mouvement d'accompagnement risque d'être freiné par l'herbe haute qui se trouve devant la balle ; soyez donc prêt à voir votre balle retomber un peu tôt et choisissez votre cible en fonction de ce paramètre.

FAIRE SAUTER LA BALLE HORS DU ROUGH

Un premier coup en slice a entraîné la balle dans un rough, et des buissons vous barrent la voie vers le fairway. C'est une situation délicate, mais commune, dans laquelle il faut garder votre sang-froid et faire appel à votre bon sens et à votre imagination. Ne vous précipitez pas vers la balle ; approchez-vous calmement, examinez la situation, et laissez votre bon sens vous indiquer le choix du meilleur club qui vous permettra d'élever la balle très haut, pour la faire passer par-dessus les buissons et la ramener sur le fairway.

1. Vous constatez que la balle est dans un bon lie, de sorte qu'il devrait être possible de la faire passer par-dessus les buissons et en direction du drapeau. Visualisez la trajectoire de la balle, cela vous indiquera le club que vous devez utiliser. Ici, le fer 8 constitue le meilleur choix pour donner la hauteur idéale à la balle.

2. Vos swings à vide doivent vous donner la bonne sensation du mouvement nécessaire. Si votre premier swing n'est pas satisfaisant, c'est-à-dire s'il ne vous donne pas le sentiment de pouvoir donner à la balle la bonne trajectoire, effectuez d'autres swings de répétition, jusqu'à ce que vous soyez certain d'avoir trouvé le geste convenant le mieux au coup à jouer.

LA DÉMARCHE PSYCHOLOGIQUE

Si vous constatez que vous n'êtes pas en mesure de considérer cette situation avec calme, utilisez les exercices de relaxation pour vous détendre et vous concentrer.

Votre imagination vous aidera à visualiser le vol de la balle tandis que vous effectuerez vos swings à vide. N'oubliez pas que vous pouvez faire autant de swings de répétition qu'il le faut, jusqu'à ce que vous pensiez avoir trouvé la bonne sensation du mouvement à exécuter pour soulever la balle et la projeter vers la cible.

3. À la fin du swing de répétition correct, vous pouvez suivre en imagination le vol de la balle, et visualiser le résultat parfait de votre coup.

4. Maintenant, posez le club derrière la balle, et laissez votre swing se produire de lui-même, en gardant la tête immobile jusqu'à ce que la balle soit partie. Sur la photo, vous pouvez voir la balle s'envoler par-dessus les buissons et partir vers le fairway. La situation est rétablie !

DU ROUGH AU FAIRWAY

Ici, vous êtes confronté à deux problèmes: 1) vous devez jouer dans un rough profond, et 2) vous devez veiller à ne pas frapper un arbre, ce qui vous ferait tomber à nouveau dans le rough.

Comme toujours quand vous êtes dans un rough, il faut d'abord trouver et identifier votre balle. Décidez ensuite si elle est jouable. Vient enfin le choix du coup à jouer, qui détermine celui du club. Dans cette situation, la balle se trouvant dans de l'herbe haute, la meilleure solution est celle du sand-wedge.

LA DÉMARCHE PSYCHOLOGIQUE

Votre réaction psychologique à ce type de double-problème se traduit fréquemment par une sorte de « blocage », qui vous empêche d'évaluer correctement la situation.

« Débloquez-vous » grâce à quelques respirations profondes et des exercices de relaxation, tout en considérant votre problème.

Concentrez-vous ensuite sur vos swings à vide et la visualisation d'un coup réussi depuis cet endroit.

1. Choisissez la trajectoire idéale, à droite du gros arbre, en tenant compte du bunker qui se trouve de l'autre côté du fairway et de la cible choisie pour votre coup. Choisissez un repère intermédiaire qui vous enverra sur cette trajectoire parfaite.

2. Après les swings à vide qui vous donnent la bonne sensation de l'ampleur du coup à jouer, placez-vous et alignez-vous comme d'habitude, mais en veillant à ce que la trajectoire de votre swing projette la balle à droite du gros arbre.

3. Cassez les poignets très tôt, de manière à produire un mouvement assez vertical qui évitera que votre club ne soit freiné par l'herbe haute et assurera un meilleur contact avec la balle.

4. (*Ci-contre*) A l'impact, vos mains se trouvent en avant de la balle. En raison de la trajectoire verticale du club, la face du club frappe la balle sans être arrêtée par l'herbe, et l'envoie très haut et sur le fairway.

LE COUP INTERMÉDIAIRE

Nous nous trouvons ici dans une situation où la balle n'est pas dans un bon lie et doit partir assez bas et en ligne droite, en raison des arbres. Le problème est encore aggravé par les deux bunkers et par la position du drapeau. « Puis-je envoyer la balle près du drapeau sur ce coup ? » Le bon sens répond par la négative. La modestie est le signe de la vraie valeur, de sorte que le coup choisi devra envoyer la balle à gauche du grand bunker, de manière qu'elle s'arrête au bord du green ou sur le green, pour vous laisser un long putt ou un chip simple à jouer.

LA DÉMARCHE PSYCHOLOGIQUE

Le bon sens vous indiquera le coup à jouer avec les plus grandes chances de réussite. Il répondra aux questions telles que : « Quel est le club le plus sûr dans un tel lie ? » et « La balle partira-t-elle assez bas pour rebondir et rouler au bord du green avant de l'atteindre ? » Votre bon sens se fonde sur l'expérience des situations similaires que vous avez rencontrées en compétition ou à l'entraînement. Ici, en raison du lie et de la distance que devra parcourir la balle en roulant, le meilleur choix est celui d'un fer moyen.

Après avoir choisi le coup et le club, votre imagination sera activée par vos swings à vide, et vous permettra de visualiser un coup réussi, assez bas pour éviter les branches et suffisamment bien dirigé pour passer entre les arbres. Cette visualisation vous donnera la confiance nécessaire pour jouer le coup comme vous l'imaginez. Ne changez pas d'avis au dernier moment; jouez le coup comme vous l'avez « vu », en laissant votre swing partir librement. N'oubliez pas que ce swing doit être une simple répétition de vos coups à vide, joué sur le même rythme.

1. Identifiez votre balle et examinez le lie. Considérez les différentes possibilités. Quand votre décision est prise, choisissez votre repère intermédiaire, en vous laissant une marge de sécurité confortable à gauche du bunker. Visualisez un coup réussi, le rebond de la balle, et voyez-la rouler.

2. Quand vous avez effectué suffisamment de swings à vide pour trouver la bonne hauteur de backswing nécessaire pour envoyer la balle à la distance voulue, placez soigneusement la tête du club derrière la balle. Adressez la balle, les mains légèrement en avant et votre poids plutôt en appui sur le pied gauche.

3. Visualisez à nouveau un coup réussi juste avant de déclencher votre swing, qui doit être une exacte répétition de votre swing à vide.

4. (*Ci-contre*) Le coup est joué, et la balle est partie. La tête de club est bien en avant et assez basse. La tête reste immobile et le haut du corps ne s'est pas déplacé vers l'avant, bien que le poids soit encore plus en appui sur le pied gauche.

UN DRAW BAS AUTOUR DES ARBRES

Le draw est le coup à choisir quand vous voulez que la balle dévie sur la gauche pendant son vol, de manière à éviter un obstacle. Avant de tenter un tel coup en compétition, il faut l'avoir travaillé, en tenant compte des lois de la trajectoire des balles exposées page 20. La balle partira dans la direction que prend votre club et terminera son vol en déviant dans la direction qu'avait la face du club à l'impact.

Veillez à ce que la trajectoire de votre swing soit dirigée à droite des arbres, ce qui fera partir la balle à droite. La face du club doit être pointée vers la cible, de manière que la balle dévie vers la gauche en fin de vol, après avoir franchi les arbres. Autrement dit, la face du club sera fermée par rapport à la trajectoire du swing, mais square par rapport à la cible. N'oubliez pas que la balle roulera beaucoup plus que d'habitude, en raison de la perte de loft de votre club.

1. Ici, un pull a envoyé la balle dans le rough de gauche, ce qui ne vous laisse aucune possibilité de jouer en ligne droite, car des arbres se trouvent entre votre balle et la cible. Dans ces conditions, le draw représente votre seule possibilité.

LA DÉMARCHE PSYCHOLOGIQUE

Tous les coups auxquels vous donnez volontairement un effet doivent être visualisés soigneusement avant la frappe. Si vous vous contentez d'imaginer vaguement le vol de la balle, vous ne parviendrez sans doute pas à atteindre votre objectif.

Si vous êtes particulièrement anxieux avant de jouer un tel coup, vous aurez du mal à visualiser une conclusion réussie. Si vous avez du mal à imaginer un résultat positif, écartez-vous et recommencez votre préparation depuis le début.

Attention: quand vous donnez de l'effet à la balle pour lui permettre de contourner un obstacle, n'oubliez pas de vous accorder une bonne marge de sécurité. Il arrive très souvent que la balle heurte l'obstacle qu'elle était censée éviter, parce qu'elle n'est pas partie suffisamment à droite ou à gauche.

Il faut également se souvenir qu'une balle déviant sur la gauche roulera davantage que la normale, alors qu'une balle déviant sur la droite roulera moins.

2. Retirez tous les petits obstacles autour de la balle pour avoir les meilleures chances de la frapper correctement.

3. Après avoir effectué un certain nombre de swings à vide pour trouver les bonnes sensations, vous adressez la balle. Elle doit se trouver en arrière de votre stance, de manière que vos mains soient en avant de la balle. Votre prise doit être un peu plus légère que d'habitude et vos mains un peu plus à droite.

4. Il faut ici effectuer un backswing écourté, le club arrivant très près du sol, et utiliser très peu les poignets.

5. La main droite passe devant la gauche, ce qui oriente la face du club vers la gauche par rapport à la trajectoire du swing. Cela permettra à la balle de dévier sur la gauche après avoir franchi les arbres.

6. L'accompagnement : les bras ont complètement pivoté, fermant la face du club.

VISUALISATION DEPUIS LE ROUGH

La balle se trouve dans un lie assez bon, dans de l'herbe moyenne, à 110 mètres du drapeau. Un bunker se trouve à gauche, mais il y a beaucoup de place sur le green à droite du drapeau. Le coup à jouer de cet endroit devra amener la balle juste devant le green, de manière qu'elle rebondisse une ou deux fois avant de rouler doucement sur la surface tondue. Il est important de visualiser correctement le coup pour obtenir la bonne longueur. N'oubliez pas que l'absence de backspin fera rouler la balle très longtemps.

1. Examinez soigneusement le lie de la balle et la distance qui la sépare du drapeau. Vous ne pourrez obtenir qu'un backspin très limité depuis un tel lie, de sorte que le choix du club est déterminant, car la balle roulera longtemps après sa chute. Choisissez un repère intermédiaire.

2. Le meilleur choix est le fer 8, et vous pouvez effectuer quelques swings à vide pour trouver la bonne sensation du mouvement idéal.

3. (*Ci-contre*) Adressez la balle, la face du club étant square par rapport à votre repère intermédiaire. Visualisez le coup que vous désirez jouer, en voyant la balle rebondir avant le green et rouler vers le drapeau.

LE PETIT CHIP POUR REVENIR SUR LE FAIRWAY

La balle est dans un lie relativement bon, dans de l'herbe moyenne, mais il est impossible de lui donner une trajectoire normale car vous êtes gêné par des branches basses. Il faut jouer un chip très bas pour éloigner la balle des arbres et la placer dans une position favorable pour votre coup suivant. Cette situation incite souvent les golfeurs à précipiter leur coup, c'est pourquoi, avant d'effectuer vos swings à vide, vous devriez décontracter vos bras en balançant le club d'arrière en avant dans un geste fluide.

Un fer 5, tenu assez bas, les mains en avant de la balle, vous permettra de ne pas élever la balle exagérément.

1. Examinez le lie de la balle et choisissez soigneusement la meilleure trajectoire sous les arbres. Décontractez vos bras en balançant doucement votre club d'arrière en avant.

2. Effectuez vos swings à vide pour trouver la longueur et la vitesse idéales du mouvement nécessaire. Ce coup exige une action plus importante des poignets sur le backswing, de manière à accélérer la descente du club vers la balle sans la précipiter.

LA DÉMARCHE PSYCHOLOGIQUE

Comme toujours sur les coups particuliers de ce genre, l'angoisse risque de s'installer et de vous pousser à lever la tête trop tôt. La bonne visualisation de votre coup vous donnera la confiance nécessaire pour éviter ce défaut et vous permettra de rester pratiquement immobile jusqu'à ce que la balle soit partie.

Le bon sens vous permettra de savoir ce que vous pouvez espérer d'un coup joué dans ce lie. Avec le club plus long que la normale et les mains en avant de la balle, vous pourrez jouer un coup assez bas, mais rapide, de sorte que la balle roulera plus que d'habitude après le rebond.

3. Choix du repère intermédiaire et placement. Les mains sont placées bas sur le manche, et en avant de la balle, celle-ci se trouvant en arrière du stance, ce qui vous permettra de l'envoyer sur une trajectoire assez basse.

4. À la fin de l'exécution de ce petit chip, la tête de club est basse et les mains fermes sur le manche pour assurer une trajectoire bien droite.

À TRAVERS LES ARBRES SUR UNE PENTE LATÉRALE

La balle est bien posée, mais elle se trouve sur une pente latérale. Comme elle est située au-dessus du niveau de vos pieds, votre swing sera plus plat et la balle aura tendance à dévier vers la gauche. La situation est encore aggravée par le fait qu'il faut faire passer la balle sous les branches, ce qui nécessite un mouvement restreint du corps ; cela aura aussi tendance à faire dévier la balle vers la gauche pendant son vol. Par conséquent, vous devez la faire partir davantage vers l'arbre de droite que vers la cible. La présence des deux bunkers n'a pas à affecter votre démarche ici, car ils n'entrent pas en jeu.

1. Examinez bien le lie de la balle et choisissez votre repère intermédiaire avec soin. Dans cette situation, il faut faire partir la balle en direction de la cible elle-même, qui se trouve à droite du drapeau, car vous savez que votre balle risque de dévier vers la gauche.

2. Après quelques swings à vide qui vous donnent la bonne sensation de la longueur nécessaire de votre coup, placez soigneusement la tête du club derrière la balle, et visez votre repère intermédiaire, situé à droite du drapeau. Ensuite, procédez à votre placement et à votre alignement comme d'habitude.

LA DÉMARCHE PSYCHOLOGIQUE

Compte tenu du nombre de difficultés auxquelles vous êtes confronté dans cette situation, il est primordial d'avoir le corps bien détendu et l'esprit calme. L'expérience, le bon sens et l'imagination sont vos alliés: vous savez que la balle risque de dévier sur la gauche depuis une telle position; le bon sens vous indique le meilleur club à choisir, et vous commande d'écourter votre backswing pour éviter de projeter la balle trop haut; enfin, l'imagination vous aide à visualiser un coup réussi. Vous pouvez ensuite laisser votre coup se réaliser tout seul.

3. Tenez votre club un peu plus bas que de coutume, car la balle se trouve au-dessus du niveau de vos pieds, et ramenez votre club en arrière jusqu'à la hauteur de vos hanches, la tête du club restant tournée vers le sol.

4. L'accompagnement : la balle est bien partie vers la droite du drapeau, comme prévu. Le balancier des bras est suffisant pour lui donner une bonne longueur, de sorte que le corps reste relativement passif.

Comment cela s'est-il passé ? Les heures agréables passées sur le parcours de golf en compagnie de bons amis se terminent par une vérification de la carte de score.

CHAPITRE 9

LE JEU, LA COMPÉTITION, LA VICTOIRE

Le golf est un jeu très compétitif, où vous êtes toujours votre adversaire, que vous disputiez une partie à quatre ou seul. Le fait de vous mesurer coup pour coup avec un autre joueur risquerait de vous entraîner dans une situation désespérée dont vous ne pourriez pas vous sortir. Si vous jouez avec un golfeur nettement meilleur que vous et si vous essayez de vous maintenir à son niveau, votre échec inévitable troublera votre jeu et vous fera jouer sous votre niveau habituel.

De même, si vous affrontez un joueur dont le handicap est beaucoup plus élevé que le vôtre, votre score risque d'être très inférieur à la normale si vous vous contentez de le battre, par exemple, d'un coup par trou. Au lieu de vous mesurer aux autres, mesurez-vous à vous-même. Lorsque vous êtes sur le parcours, comparez vos scores à votre handicap et à votre niveau de jeu. Vous serez ainsi en mesure de vous concentrez sur votre jeu, sans vous laisser perturber par les petits incidents de parcours.

Le golf n'est pas «gentil», il est humain!

Lorsque vous faites une partie de golf avec d'autres joueurs, qu'il s'agisse d'une rencontre amicale ou d'une compétition, vous n'êtes pas seulement un joueur, vous êtes aussi spectacteur. Vous pouvez suivre constamment l'évolution du jeu des autres, et cela peut affecter votre propre jeu.

Imaginons que vous jouez en deuxième position au départ du premier trou. Le premier joueur réussit un drive magnifique, sa balle retombant au milieu du fairway, à plus de 180 mètres. Comment voulez-vous jouer après une telle performance! Vous avez le sentiment que votre prouesse physique vient d'être défiée et votre attitude peut alors consister à poser votre balle et à décocher votre swing de toutes vos forces comme un homme qui se sent atteint dans sa virilité, expédiant ainsi la balle hors limites. Ou bien vous êtes impressionné par cette performance et vous craignez de paraître ridicule. Vos nerfs risquent, dans ce cas, de vous trahir, vous manquez votre coup, et cela vous conforte dans la piètre opinion que vous avez de vous. L'inverse se vérifie de la même façon. Si le premier joueur rate son coup, il est bien plus facile de vous approcher de la balle avec confiance et de réussir un bon drive. Pourquoi ? Parce que, maintenant qu'un autre joueur a manqué son coup, la pression qui pèse sur vos épaules est moindre et, même s'il vous arrivait la même mésaventure, vous auriez un compagnon d'infortune. Vous pouvez également être convaincu qu'il vous sera impossible d'être aussi ridicule que votre partenaire, et ce sentiment procure une sensation de décontraction et de confiance. Ce n'est peut-être pas très « gentil », mais c'est très humain. Et d'ailleurs, qui a dit que le golf était un sport gentil ?

Ne faites pas de comparaisons !
Ne vous laissez pas guider par le jeu ou le score des autres joueurs, et ne faite *jamais* de comparaisons avec les autres en cours de partie. Cela ne pourra que vous entraîner dans toutes sortes de conflits psychologiques (ennui ou honte de souhaiter du mal à quelqu'un — ou du moins à son jeu —, jalousie, etc.). Restez détaché, et si votre partenaire joue particulièrement bien, dites-vous simplement : « Jack joue de manière fantastique aujourd'hui. J'espère qu'il améliorera son handicap. Peut-être même qu'il va décrocher un prix ! » Puis concentrez-vous sur votre propre jeu et n'oubliez pas que vos chances de victoire dépendent uniquement de *votre* technique, et pas des défaillances éventuelles de Jack. Certes, cela est plus facile à dire qu'à faire, mais un point de vue positif comme celui-ci vous aidera à vous détacher de la performance des autres et à vous souvenir que vous vous mesurez à vous-même — à *votre* handicap et à *votre* jeu du moment — et *non* aux autres joueurs.

CHECKLIST POUR LE JEU, LA COMPÉTITION, LA VICTOIRE

1. Pensez seulement au temps présent.
Ne vous attardez pas sur vos mauvais coups passés, et ne commencez pas à penser au deuxième trou suivant qui vous pose toujours des problèmes. Prenez chaque coup comme il vient et accordez-lui votre totale concentration.

2. Branchez et débranchez votre concentration.
Dans ce domaine, il faut procéder à des changements de vitesse constants. Laissez votre esprit se détendre entre les coups. Admirez le paysage. Appréciez la compagnie de vos partenaires. Puis passez la vitesse supérieure et concentrez-vous totalement sur le coup que vous allez jouer.

3. Utilisez un langage positif.
Parlez-vous de façon positive et constamment. Votre monologue intérieur doit toujours être encourageant : « Bien joué ! Quel chip magnifique ! » Entretenez le flot des pensées positives.

Ne vous blâmez jamais pour un coup manqué. Acceptez-le, puis pensez à la manière parfaite dont vous allez négocier le coup suivant.

4. Acceptez de relever le défi de la balle là où elle se trouve.
Ce défi augmentera votre taux d'adrénaline, et aiguisera vos qualités de perception et votre instinct de compétition. Par conséquent, ne grommelez pas en vous disant que tout est perdu lorsque vous retrouvez votre balle dans un divôt sur le fairway. Relevez le défi ! Vous savez que vous en êtes capable !

5. Conservez le bon rythme.
Si vous gardez un rythme de jeu régulier, vous pourrez prendre le temps de bien préparer chaque coup, sans précipitation ni saccade.

6. La défaite n'est pas la fin du monde.
Que se passera-t-il si vous ne gagnez pas ? Est-ce que ce sera la fin du monde ? Pensez toujours à garder une certaine distance avec ce jeu merveilleux et apprécié de tous. Le jeu n'est merveilleux que si vous êtes en mesure, justement, de l'apprécier.

Le défi du parcours

Chaque fois que vous jouez, vous relevez le défi du parcours, en testant vos aptitudes contre ses pièges, et en appréciant la bataille que vous lui livrez, coup après coup. Ne calculez jamais vos scores en cours de partie, même après neuf trous, et ne comparez jamais vos résultats avec ceux que vous avez obtenus précédemment sur le même trou. Ne pensez pas aux scores passés ou à venir, mais jouez chaque trou comme il vient, et n'oubliez jamais que si vous jouez au golf... c'est pour vous amuser!

La préparation

Les préparatifs d'une partie constituent une importante partie du jeu. Vous donnez le ton à votre journée de golf avant le départ du premier trou, et même avant de partir de chez vous. N'attendez pas le dernier moment pour vérifier votre sac de golf et tout votre équipement avec soin. Cela vous évitera la désagréable surprise de découvrir qu'il est incomplet en arrivant au club.

Avant de commencer à jouer, établissez un programme pour votre parcours. Naturellement, vous avez déjà joué cette partie dans votre esprit plusieurs fois au cours des jours précédents, en vous imaginant jouer chaque trou dans la limite de vos capacités (pas de trou en un, pas de drives impossibles!). Votre objectif pour le parcours doit être dominé par une seule idée valable toute la journée. Par exemple, cette idée pourrait être: «Termine ton backswing *avant* d'entamer le retour du club!» Si vous multipliez les pensées de ce genre au cours d'une même journée, votre concentration s'en trouvera affectée.

Lorsque vous arrivez au club, vous êtes impatient de vous rendre sur le parcours. Mettez-vous parfaitement dans l'ambiance en vérifiant vos clubs, en les sortant de votre sac pour les examiner et les soupeser. Veillez à ce que chaque club soit correctement placé dans votre sac. Vérifier également vos autres équipements — carte de score et crayon, règlement du golf, gant de rechange. Rendez-vous au club-house et

Avant une compétition, il faut prendre l'habitude de vous assurer que tous vos clubs sont correctement placés dans votre sac et que vous disposez de tout le matériel nécessaire pour parcourir ces dix-huit trous.

vérifier les règles propres à ce club. Puis détendez-vous un moment en bavardant avec des amis. N'oubliez pas que le golf est un passe-temps qui doit s'apprécier entre amis, et que vous devez apporter votre contribution à l'ambiance chaleureuse de votre club en vous montrant vous-même ouvert et amical.

Rendez-vous ensuite sur le practice pour vous échauffer (voir pp. 35-37). Jouez une vingtaine de coups, en observant la trajectoire de la balle de manière à évaluer précisément la qualité de votre swing. Si, à l'entraînement, vos coups ont tendance à partir en fade, votre coup du jour sera le fade. Choisissez toujours le coup que

Étudiez toujours chaque trou, même si vous connaissez parfaitement le parcours. Votre swing en ce jour précis ou les conditions météorologiques peuvent nécessiter une petite modification de votre stratégie habituelle sur ce parcours.

vous êtes certain de pouvoir reproduire souvent, cela vous aidera à établir un plan global. Prenez dix minutes pour réfléchir à l'état du parcours le jour où vous jouez à la manière dont vous aller l'aborder, compte tenu du niveau actuel de votre jeu.

Établir un programme global consiste simplement à passer mentalement en revue chaque trou, en consultant la carte du parcours figurant sur votre carte de score pour vous rafraîchir la mémoire. Vous devriez déjà avoir procédé à cette visualisation au cours des jours précédents en vous préparant en vue de cette compétition, de sorte que cela devrait vous paraître assez facile. Imaginez des coups réussis sur les trous qui semblent toujours vous poser des problèmes. Envisagez la manière dont vous les négocierez, en veillant à vous laisser des marges de sécurité confortables autour des principaux obstacles. N'oubliez pas qu'en préparant un trou, il faut toujours choisir le moindre de deux maux. Si vous devez choisir une cible proche d'un bunker profond sur la gauche ou d'un bunker moins profond sur la droite, optez toujours pour le bunker le moins profond. De même, si votre balle risque de retomber soit dans l'eau, soit hors limites, choisissez le coup qui risquerait de l'entraîner dans l'eau.

Il est utile d'établir ainsi un plan précis, pour pouvoir rester très lucide, que la partie se déroule merveilleusement bien ou très mal. Cela vous permettra également de juger chaque coup à sa juste valeur, un putt de 50 cm étant aussi important qu'un drive de 180 m. Un bon plan vous aidera en outre à éviter les coups irréalisables, en espérant par exemple arriver en deux coups sur le green des trous de par 4.

Ensuite, bien échauffé et ayant en tête une stratégie précise pour le parcours, vous prendrez le départ dans les meilleures conditions pour réaliser une bonne partie.

Suivez toujours la même routine avant une rencontre. N'oubliez pas que le sentiment de familiarité vis-à-vis de toutes les situations possibles est d'une importance capitale pour votre bien-être psychologique. Si vous pouvez faire appel à des souvenirs précis et *agréables*, vous vous sentirez comme chez vous sur le parcours et au club-house. Le fait de suivre la même routine avant la partie vous permettra de vous souvenir de cette ambiance agréable qui est déterminante pour réussir.

Au départ du premier trou

Arrivez au point de départ du premier trou avec un peu d'avance. Profitez au mieux de cette petite attente, en pratiquant d'abord quelques exercices de respiration profonde pour relaxer, dans l'ordre, vos mains, vos bras, vos jambes et votre torse. Cela vous aidera à vous détendre aussi mentalement.

Vérifier ensuite la position du tee. Est-il plus en avant ou plus en arrière que d'habitude? Quelles conséquences cela peut-il entraîner pour la trajectoire de votre balle? Le vent souffle-t-il assez fort pour modifier la direction des balles? Choisissez deux balles de la même marque, mais portant des numéros différents. Notez ces numéros. La seconde sera votre balle de secours. Si vous commencez à vous sentir tendu, poursuivez les respirations profondes, ou utilisez la méthode de crispation-relaxation pour vous détendre.

Lorsque les joueurs qui vous précèdent ont joué leur coup, effectuez quelques swings de répétition pour reproduire le mouvement mis au point sur le practice et trouver le bon rythme, en visualisant toujours un bon résultat pour votre swing. Puis, choisissez soigneusement votre point de départ, plantez votre tee, posez la balle et jouez votre premier coup, en utilisant un swing fluide et sans précipitation, une copie exacte de votre swing de répétition.

Entre les coups

Votre aptitude à vous détendre et à débrancher votre concentration entre les coups influencera considérablement votre résultat. Lorsque vous avez joué votre premier coup, éloignez-vous rapidement du point de départ pour permettre au joueur qui vous suit de se préparer. Puis partez ensemble sur le fairway. Le temps d'arriver à la première balle, vous avez le choix entre trois aptitudes: vous détendre et admirer le paysage, en respirant profondément et en faisant le vide dans votre esprit; vous relaxer en bavardant avec les autres joueurs de n'importe quoi sauf du coup qui vient d'être joué ou de celui qui suivra; enfin, vous inquiéter en vous

Prenez deux balles: une pour jouer, et une balle de secours. Notez soigneusement la marque et le numéro de vos balles.

blâmant pour le coup que vous venez d'exécuter ou en vous angoissant à l'idée du prochain. Laquelle de ces trois attitudes adoptez-vous généralement? Laquelle des trois vous plaît le moins?

Optez pour la détente et marchez légèrement sur le fairway, tête haute et bras souples. Pensez uniquement au temps présent. Il est agréable de se trouver sur un parcours de golf, loin des ennuis et des soucis de la vie quotidienne, à pratiquer l'une des occupations qui vous plait le plus. Si vous voyez un joueur traîner les pieds en baissant la tête, vous pouvez être certain qu'il ne prend pas plaisir à jouer et que son score le reflètera.

Conservez un rythme constant pendant toute la partie, même entre deux trous. Si vous avez réussi un birdie au septième trou, ne vous précipitez pas au départ du huit dans l'intention de réussir un bon drive pour réaliser un nouveau birdie. Attendez que vos partenaires aient enquillé leurs putts, puis dirigez-vous vers le départ du trou suivant d'un pas décontracté. Au golf, il ne faut jamais rien précipiter, mais au contraire trouver le bon rythme. Un corps détendu, un esprit tranquille et une attitude confiante vous aideront à jouer de manière régulière et agréable.

Si vous observez les plus grands champions mondiaux pendant des compétitions, vous remarquerez leur comportement entre les trous, leur démarche assurée et régulière tandis qu'ils se déplacent, sans regarder autour d'eux, pour éviter les stimulations extérieures qui perturberaient leurs quelques instants de relaxation avant de faire à nouveau appel à tout leur pouvoir de concentration pour leur coup suivant.

La victoire

Quel que soit le sport que l'on pratique, il n'y a toujours qu'un vainqueur. Sa technique n'est pas parfaite à chaque fois, mais sa meilleure arme est toujours son aptitude à bien jouer lorsque cela est nécessaire.

Les vainqueurs sont entourés d'une aura de confiance, ils sont sûrs de leurs capacités et maîtrisent parfaitement leurs émotions à chaque instant de la partie.

Pour gagner, il faut d'abord comprendre la défaite, et même en faire l'expérience. Il arrive à tout le monde de mal jouer de temps à autre, mais seuls quelques joueurs savent en tirer les enseignements. Si vous constatez que vous jouez mal, ne vous apitoyez pas sur votre sort, essayez plutôt, au contraire, de retenir les leçons de cette expérience.

N'oubliez pas que le vainqueur est toujours celui qui pense au temps présent.

Les conversations avec soi-même

Tout le monde se parle, à haute voix ou en silence. Essayez de ne pas vous parler tout haut sur le parcours — vos partenaires risqueraient de ne pas apprécier que vous troubliez leur concentration lorsqu'ils sont à l'adresse —, mais parlez-vous intérieurement, et utilisez cette conversation dans un sens positif, en vous imaginant auteur d'un bon score et satisfait de votre jeu.

Les conversations personnelles encourageantes et favorables à votre amour-propre vous aideront à mieux jouer. En revanche, les paroles négatives et les récriminations (trop souvent prononcées à haute voix, ce qui ennuie tout le monde) ne font qu'allonger la colonne des débits sur votre compte en banque psychologique.

Naturellement, les conversations personnelles que vous vous tenez ainsi doivent être réalistes en ce qui concerne vos possibilités. N'oubliez pas qu'il est impossible de tromper votre subconscient.

La chance, la malchance et la superstition

La chance et la malchance finissent toujours par s'équilibrer à long terme, c'est pourquoi il n'est pas nécessaire de vous plonger dans une colère noire si vous semblez traverser une période de malchance. Si votre balle s'immobilise dans un divôt sur le fairway, et si vous estimez que ce coup malchanceux est injuste (car, naturellement, il n'arrive qu'à vous, et pas aux autres joueurs), vous avez très peu de chances de frapper ensuite correctement la balle pour la faire sortir du divôt et la diriger vers la cible. La malchance ne jouera véritablement son rôle que si vous la laissez vous atteindre. En revanche, si vous l'acceptez comme un défi, en prenant la situation en main par une bonne préparation du coup que vous allez jouer, votre concentration sera aiguisée, votre flot d'adrénaline sera légèrement renforcé, et en faisant appel à ce crédit qui figure sur votre compte en banque, vous pourrez transformer ce coup de malchance en une expérience positive.

Quelle est l'importance de la supersition ? Elle peut être très utile, si vous la faites travailler de manière positive en votre faveur. Par exemple, elle peut renforcer ce sentiment de « déjà vu » si vous jouez toujours avec une balle portant un certain numéro. Et cette vieille casquete qui vous porte toujours chance sur les neuf derniers trous, vous ne l'avez pas oubliée, n'est-ce pas ? Soyez à l'aise avec vos superstitions et elles vous aideront ; si, au contraire, elles vous mettent mal à l'aise, vous risquez de perdre tous vos moyens.

Après la partie

Avez-vous gagné ? Bien joué ! Ne soyez pas trop modeste, mais acceptez les félicitations de tout le monde. Vous vouliez gagner, et vous avez réussi. Votre compte en banque psychologique est maintenant très positif. Cela vous sera très utile pour vos prochaines parties.

Cependant, que vous ayez gagné ou perdu, il faut savoir juger votre partie de manière objective, en tenant compte de tout ce qui s'est passé, des bons et des mauvais coups, de manière à savourer les bons et à corriger les défauts responsables des moins bons.

Établissez une liste de vos mauvais coups et comparez-la à la liste suivante, pour trouver les causes de vos problèmes.

Erreurs psychologiques

1. Mauvais choix du club ?
2. Mauvais choix de coup ?
3. Mauvaise visualisation du coup ?
4. Manque de détermination ?
5. M'étais-je fixé un objectif irréralisable sur ce coup ?
6. Mon plan pour le parcours était-il bon à ce niveau précis ?
7. Ma maîtrise de moi-même aurait-elle pu être meilleure à cet instant ?
8. Ai-je joué au temps présent ?

Erreurs physiques

1. Mauvaise routine de placement et d'alignement ?
2. Mauvais grip ?
3. Mauvais rythme qui a entraîné un swing mal exécuté ?

Le meilleur moment pour s'entraîner est sans doute celui qui suit une partie. Vos erreurs sont alors encore bien gravées dans votre esprit, et vous pouvez travailler chacun de ces coups jusqu'à ce qu'il soit parfait.

En procédant à une analyse complète de la partie et en vous entraînant ensuite, vous aborderez votre prochaine compétition avec des connaissances, une compréhension et une confiance accrues, et cela vous donnera de meilleures chances de réussite.

L'objectif ultime

Ce n'est pas une victoire au Masters ou au Britisch Open. Non. L'objectif ultime pour votre jeu est de jouer au meilleur de vos possibilitées, compte tenu de l'état du parcours en ce jour précis et de votre forme, de manière à passer des heures agréables sur le parcours, en compagnie de bons amis, et au grand air.

Jouer au meilleur de vos possibilités signifie jouer avec connaissance, compréhension, qualitées techniques et avec la bonne attitude psychologique. Ce sont les quatre principes fondamentaux du golf. Apprenez-les bien, en particulier le dernier, car c'est celui auquel on ne pense pas assez souvent, et vous serez alors en mesure de devenir un bon golfeur qui continuera à progresser en travaillant les aspects techniques et psychologiques du golf.